仏検

フランス語
単語 中級

ヴェスィエール ジョルジュ ［著］

DES MOTS QUI VONT
TRÈS BIEN ENSEMBLE

三省堂

イラスト
Martin Faynot

デザイン
山本　嗣也、黒田　陽子
（志岐デザイン事務所）

デザイン、DTP
九鬼　浩子
（スタジオプレス）

編集協力
Sonia Silva

編集担当
奥山　道

まえがき

Bonjour à toutes et à tous！この文章を読まれている皆さんは、フランス語の学習が好きで、今日まで継続して努力されてきたのではないかと想像します。まず、今まで頑張ってきた自分を褒めてあげましょう！

次なる学習フェーズに入りたいと考えている方のために、『クラウン フランス語単語 入門』に引き続き、今回は「中級」レベルの単語帳を作成しました。この「中級」レベルでは、語彙習得の積み重ねが今までにも増して大事になってきます。というのも、基本的な文法や表現をある程度理解していて、自分では初心者を脱却したと感じていても、実は語彙が足りない場合や、似たような意味の単語で細かいニュアンスの違いが分からない場合もあるからです。

このように、フランス語学習において「中級」レベルは多くの方にとって「壁」であり、おそらく最も挫折しやすい段階であるため、なるべく継続して行える、効率性の高い単語学習が必要になります。そこで鍵となるのは、「まとまり」の中で単語を覚えていくことです。

本書では、単語を効率よく学ぶための工夫として、例文や表現の「まとまり」が長くなり過ぎないように注意しました。さらに、1日2ページというペースを想定して、長文や生きた会話例を定期的に配置しましたので、そこで大きな文脈の中で単語の意味を取る作業に慣れていくことができます。

語彙習得は長い道のりですが、理解できる単語が増えれば増えるほど、文章が楽しく読めたり、会話が以前よりわかるようになったり、という実感が湧くはずです。フランス語の世界での長旅のお供として、本書が皆さんの一助となれば幸いです。

ヴェスィエール　ジョルジュ

目次

記号一覧

名：名詞、男女両用の名詞

男：男性名詞

女：女性名詞

代：代名詞

動：動詞

代動：代名動詞

形：形容詞

副：副詞

接：接続詞

前：前置詞

間：間投詞

複：複数形

⇒：派生語、関連語

⇔：対義語

＊：注記	→《略》：省略形
★：成句	＜：語源、原形
†：有音の h	[ ]：入れ替え可能

本書の特徴

　2,500 語レベルの語彙力を効率よく習得し、「発信力」が鍛えられる単語帳を目指しました。大規模データベース（コーパス）研究と辞書の頻度表示を踏まえた独自の調査により、それぞれの級で合格に役立つ 420 語を厳選し、原則として頻度順に配列しました。派生語や関連語などを含めた総収録語数は約 1,400 語です。

　ひとつの Partie は 12 ページで構成され、単語学習 10 ページ、会話 1 ページ、文章 1 ページがセットになっています。学習ペースの一例として、月曜日から土曜日まで 2 ページずつコツコツと取り組み、日曜日にその週学んだ語をおさらいすると、1 週間でひと Partie 進めることができます。本書の詳細な特徴は下記のとおりです。

用例

　複数のコーパスを分析し、現代フランス語で頻繁に使われる短い用例を掲載しました。

見出し語

　男性名詞と女性名詞には冠詞をつけました。また、無料配信のフランス語音声では、見出し語が女性名詞の場合は女性の声、それ以外の場合は男性の声で収録しており、名詞の性を感覚的に覚えられるよう工夫しました。

　見出し語中の「無音の h」は薄く表示し、「有音の h」には † をつけました。

会話

　会話のページでは、各 Partie で覚えた単語を、生き生きとしたやり取りを通して復習することができます。なるべく多種多様な場面を作成し、友達同士、職場の同僚同士など、会話における人間関係のバリエーションにも気を配りました。

文章

　文章のページでは、会話と比べてより格調高いテキストを書き上げることを目指しました。社会問題の時事ネタに限らず、芸術、歴史、食文化、科学と幅広い分野をカバーするように努めました（ただ、著者の専門がフランスの中世であるため、その時代に関係するテーマが自然と多くなってしまったかもしれません）。さらに、本書では 3 人称視点と 1 人称視点の文章の両方を準備しました。そのため、ニュース記事に近いテキストから日記の一節のようなものまで、様々なタイプのテキストに接することができます。

文法コラム

文法コラム (Petit point de grammaire) は、仏検準 2 級・3 級の筆記試験の出題傾向も意識して、中級者がつまずきやすい項目を選びました。「複合過去と半過去の用法」や「関係代名詞の使い方」のような、とくに間違えやすいポイントについて、簡単な文法説明と定着度をチェックするための練習問題をつけました。

音声データ

以下の 5 種類の音声を用意し、三省堂のウェブサイトと公式アプリにて無料配信しています。ぜひご利用ください。

- ●見出し語
- ●用例
- ●会話
- ●文章（自然なスピード）
- ●文章（ディクテ用）

音声配信ページ（三省堂ウェブサイト）

https://dictionary.sanseido-publ.co.jp/vod/vocabulaire/

ことまなS（三省堂公式アプリ）

App Store もしくは Google Play にて「ことまな S」で検索し、アプリをインストールしてください。

本書の使い方

単語学習ページ

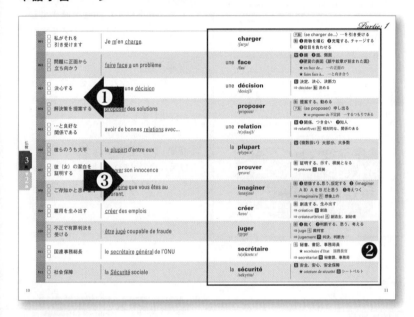

①仏→日

音声を聴きながら、フランス語から日本語にできるか確認。まったく知らない単語はありますか？

②意味を確認

知らない単語は、まず赤字の意味だけを覚えましょう。①で日本語にできた語は、その他の語義、派生語、成句なども確認しましょう。

③日→仏

今度は日本語からフランス語にしてみましょう。フレーズを丸ごと覚えるまで何度も音読すれば、「とっさに話す力」が身につきます。

会話

① 聴き取り

テキストを見ずに朗読を聴きましょう。内容はどのくらい理解できますか？

② 空欄補充

その Partie で学んだ語を赤字で表示しています。赤シートで隠して、覚えているか確認しましょう。

③ 音読、シャドウイング

登場人物の気持ちを想像しながら、音読やシャドウイングをしましょう。

A Nice

A : Ah, vous étiez où ?
B : J'étais en hauteur, sur la Colline du Château. Il faut faire quelques efforts pour monter les escaliers, mais une fois qu'on arrive au sommet, on a une vue magnifique sur toute la région niçoise. J'ai pu apercevoir le vieux port et même Antibes !
A : Vous en* avez, de l'énergie ! Il y a un ascenseur aussi, non ?
B : Oui, mais ce n'est pas la même chose ! C'est une expérience à faire.

補足　＊ en : 部分冠詞の du / de la / de l' や不定冠詞の des をつけた名詞を受ける中性代名詞。ここでは、後に続く de l'énergie を指す

ニースにて
A : どこに行ってらっしゃったのですか？
B : 高いところまで行ってきたよ。シャトーの丘の上まで。階段を上るのはちょっと大変だけど、頂上に着いてしまえば、ニース一帯を見渡せるすばらしい眺めなんだ。旧港やアンティーブでさえ見えたよ。
A : お元気ですね！エレベーターもありませんでしたっけ？
B : そうだけど、それでは違うんだよ！これは、誰もが体験するべきことだよ！

46

文章

① 聴き取り

テキストを見ずに朗読を聴きましょう。内容はどのくらい理解できますか？

② 空欄補充

その Partie で学んだ語を赤字で表示しています。赤シートで隠して、覚えているか確認しましょう。

③ 音読、シャドウイング

朗読を真似ながら、音読やシャドウイングをしましょう。

④ ディクテ

綴りがしっかり書けるか意識しながらディクテに挑戦しましょう。

Partie 7

La loi Evin

En 1991, la France adopte* la loi Evin : il s'agit d'une loi contre le tabagisme et l'alcoolisme. C'est Claude Evin, à l'époque ministre des Affaires sociales, qui a défendu cette loi devant le Parlement**. Depuis, il est interdit de faire de la publicité à la télévision pour le tabac et pour l'alcool. C'est une grande différence avec le Japon, où l'on*** peut encore voir ce genre de publicités.

補足　＊ adopter 動 採用する、可決する
　　　＊＊ Parlement 男 国会
　　　＊＊＊ l'on：（文章語で）母音が連続するのを避けて、on の代わりに l'on を使うことがある

エヴァン法
　1991 年にフランスでエヴァン法が制定された。これはタバコとアルコール依存に対処する法律だ。この法律を国会で擁護したのは、当時の保健相のクロード・エヴァンだった。それ以降、タバコとアルコールの宣伝をテレビ上で行うことが禁止された。この手の広告がまだ見られる日本とは大違いだ。

97

NIVEAU

3

DES MOTS QUI VONT TRÈS BIEN ENSEMBLE

001	☐☐☐ 私がそれを引き受けます	Je m'en charge.
002	☐☐☐ 問題に正面から立ち向かう	faire face à un problème
003	☐☐ 決心する	prendre une décision
004	☐☐ 解決策を提案する	proposer des solutions
005	☐☐ …と良好な関係である	avoir de bonnes relations avec...
006	☐☐ 彼らのうち大半	la plupart d'entre eux
007	☐☐ 自分の潔白を証明する	prouver son innocence
008	☐☐ ご存知かと思います	J'imagine que vous êtes au courant.
009	☐☐ 雇用を生み出す	créer des emplois
010	☐☐ 不正で有罪判決を受ける	être jugé coupable de fraude
011	☐☐ 国連事務総長	le secrétaire général de l'ONU
012	☐☐ 社会保障	la Sécurité sociale

charger /ʃarʒe/	代動〈se charger de...〉…を引き受ける 動 ❶荷物を積む ❷充電する、チャージする ❸役目を負わせる
une **face** /fas/	女 ❶顔 ❷面、側面 ❸硬貨の表面《顔や紋章が刻まれた面》 ★ en face de... …の正面の ★ faire face à... …と向き合う
une **décision** /desizjɔ̃/	女 決定、決心、決断力 ⇒ décider 動 決める
proposer /prɔpoze/	動 提案する、勧める 代動〈se proposer〉申し出る ★ se proposer de 不定詞 …するつもりである
une **relation** /r(ə)lasjɔ̃/	女 ❶関係、つき合い ❷知人 ⇒ relatif(ve) 形 相対的な、関係のある
la **plupart** /plypa:r/	女《複数扱い》大部分、大多数
prouver /pruve/	動 証明する、示す、根拠となる ⇒ preuve 女 証拠
imaginer /imaʒine/	動 ❶想像する、思う、仮定する ❷〈imaginer A B〉A を B だと思う ❸考えつく ⇒ imaginaire 形 想像上の
créer /kree/	動 創造する、生み出す ⇒ création 女 創造 ⇒ créateur(trice) 名 創造主、創始者
juger /ʒyʒe/	動 ❶裁く ❷判断する、思う、考える ⇒ juge 名 裁判官 ⇒ jugement 男 判決、判断力
secrétaire /s(ə)kretɛ:r/	名 秘書、書記、事務局員 ★ secrétaire d'Etat 国務長官 ⇒ secrétariat 男 秘書課、事務局
la **sécurité** /sekyrite/	女 安全、安心、安全保障 ★ ceinture de sécurité 女 シートベルト

013	☐☐☐ 解決策はある	<u>Il</u> <u>existe</u> des solutions.
014	☐☐☐ 私が予想していた とおりに	comme je l'<u>avais</u> <u>prévu</u>
015	☐☐☐ 人権を守る	<u>protéger</u> les droits de l'homme
016	☐☐☐ 国の代表チームを 率いる	<u>diriger</u> l'équipe nationale
017	☐☐☐ 過去から教訓を 引き出す	<u>tirer</u> les leçons du passé
018	☐☐☐ 本当だって 保証するよ	Je t'<u>assure</u> que c'est vrai.
019	☐☐☐ 考え方	la <u>manière</u> de penser
020	☐☐☐ この仕事をこなす 能力がある	être <u>capable</u> <u>de</u> faire ce travail
021	☐☐☐ 私立大学	une <u>université</u> privée
022	☐☐☐ 発言する	prendre la <u>parole</u>
023	☐☐☐ 私には恐れるもの など何もない	Je n'ai rien à <u>craindre</u>.
024	☐☐☐ 君に強制する つもりはない	Je ne t'<u>oblige</u> pas.

exister /ɛgziste/	動 ❶存在する、生きる ❷〈Il existe...〉 …がある ⇒ existence 女 存在
prévoir /prevwa:r/	動 ❶予想する、予測する ❷予定する、計画する ⇒ prévision 女 予想、予測 ⇒ prévoyance 女 先見の明
protéger /prɔteʒe/	動 守る、保護する 代動〈se protéger〉自分の身を守る
diriger /diriʒe/	動 指揮する、監督する、経営する、導く、向ける 代動〈se diriger vers...〉…に向かっていく
tirer /tire/	動 ❶引く、引っ張る ❷取り出す、抽出する ❸撃つ、発射する、シュートする 代動〈se tirer de...〉（困難を）切り抜ける
assurer /asyre/	動 保証する、断言する 代動〈s'assurer〉確かめる ⇒ assurance 女 保険
une **manière** /manjɛ:r/	女 ❶仕方、方法 ❷《複》態度、行儀 ★à la manière 形容詞 [de 名詞] …のように、…風に
capable /kapabl/	形 〈être capable de 不定詞 / de 名詞〉 …できる、…かもしれない ⇒ capacité 女 能力、容積
une **université** /yniversite/	女 大学 ⇒ universitaire 形 大学の
une **parole** /parɔl/	女 ❶話すこと、言葉 ❷約束 ❸《複》歌詞 ❹話す能力 ⇒ porte-parole 名 スポークスマン、代弁者
craindre /krɛ̃:dr/	動 ❶恐れる、心配する ❷（刺激などを）嫌う ⇒ crainte 女 恐れ、心配
obliger /ɔbliʒe/	動 強制する、〈obliger A à 不定詞 / à 名詞〉Aに…（すること）を強制する ⇒ obligation 女 義務、債券

13

025	☐☐ 警察官	un <u>agent</u> de police
026	☐☐ 和平条約を調印する	<u>signer</u> la paix
027	☐☐ この報告書の予測によれば	d'après les <u>prévisions</u> de ce rapport
028	☐☐ 違うと思います	Je <u>suppose</u> que non.
029	☐☐ 行動で判断される	être jugé sur ses <u>actions</u>
030	☐☐ 残りの時間	le <u>reste</u> du temps
031	☐☐ 画像を拡大する	agrandir l'<u>image</u>
032	☐☐ 出席をとる	faire l'<u>appel</u>
033	☐☐ 喜びを分かち合う	<u>partager</u> la joie
034	☐☐ 1990 年代	les <u>années</u> quatre-vingt-dix
035	☐☐ 冷戦中	pendant la <u>guerre</u> froide
036	☐☐ 合意を結ぶ	signer un <u>accord</u>

	agent(e) /aʒɑ̃, -ɑ̃:t/	名 係官、エージェント、代理人、警官 ⇒ agence 女 代理店
	signer /siɲe/	動 サインする、署名する、調印する ⇒ signature 女 サイン
une	**prévision** /previzjɔ̃/	女 予測、予想 ⇒ prévoir 動 予想する、計画する ⇒ prévisible 形 予想できる
	supposer /sypoze/	動 ❶思う、推測する ❷仮定する ❸前提とする ★ supposer que 直説法 …であると思う ⇒ supposition 女 推測、仮定
une	**action** /aksjɔ̃/	女 ❶行動、行為、活動 ❷作用 ❸株 ⇒ actionnaire 名 株主 ⇔ inaction 女 活動しないこと
un	**reste** /rɛst/	男 ❶残り、余り、その他 ❷《複》残飯、遺骨 ★ pour le reste その他のことは
une	**image** /ima:ʒ/	女 ❶画像、絵、写真 ❷象徴、イメージ ⇒ vidéo 女 動画
un	**appel** /apɛl/	男 ❶呼ぶこと、点呼 ❷通話 ★ faire appel à... …に呼びかける ⇒ appeler 動 呼ぶ、電話する ⇒ rappel 男 呼び戻すこと、思い出すこと
	partager /partaʒe/	動 ❶分ける、分割する ❷分け合う、共有する ⇒ partage 男 分割、分配
une	**année** /ane/	女 （期間としての）年、年度 ⇒ année-lumière 女 光年
une	**guerre** /gɛ:r/	女 戦争、けんか
un	**accord** /akɔ:r/	男 ❶同意、合意、一致 ❷調和 ★ d'accord オーケー ⇒ accorder 動 認める、与える、一致させる

15

037	☐ ☐ ☐ いいニュースを 知らせる	<u>annoncer</u> la bonne nouvelle
038	☐ ☐ 単に…だから ☐	<u>simplement</u> parce que...
039	☐ ☐ 計画を諦める ☐	<u>abandonner</u> son projet
040	☐ ☐ パリなまりがある ☐	avoir l'<u>accent</u> parisien
041	☐ 残りは私が ☐ ☐ 引き受けます	Je <u>m'occupe</u> <u>du</u> reste.
042	☐ ☐ 重要な役割を演じる ☐	jouer un rôle <u>majeur</u>
043	☐ フランス語を上手に ☐ ☐ 発音する方法を学ぶ	apprendre à bien <u>prononcer</u> le français
044	☐ ☐ 外国語 ☐	une langue <u>étrangère</u>
045	☐ ☐ 日本語の基礎語彙 ☐	le vocabulaire <u>de</u> <u>base</u> en japonais
046	☐ ☐ 刑務所に入れる ☐	mettre <u>en</u> <u>prison</u>
047	☐ ☐ 規則を遵守する ☐	respecter les <u>règles</u>
048	☐ ☐ チリのワインを ☐ 輸入する	<u>importer</u> des vins chiliens

annoncer
/anɔ̃se/

動 知らせる、予告する
⇒ annonce 女 知らせ、通知
⇒ annonceur(se) 名 広告主、スポンサー

simplement
/sɛ̃pləmɑ̃/

副 単純に、率直に、単に
⇒ simple 形 単純な

abandonner
/abɑ̃dɔne/

動 見捨てる、諦める
⇒ abandon 男 放棄

un **accent**
/aksɑ̃/

男 ❶なまり　❷強勢、アクサン記号
　❸口調、調子
⇒ accentuer 動 目立たせる、際立たせる

occuper
/ɔkype/

代動 〈s'occuper de 名詞 / de 不定詞〉
　… (すること) を引き受ける
動 (場所・地位を) 占める、占拠する
⇒ occupation 女 占領、仕事

majeur(e)
/maʒœːr/

形 ❶より大きい、極めて重大な
　❷成年に達した
⇔ mineur(e) 形 より小さい、大して重要でない、
　　　　　　未成年の

prononcer
/prɔnɔ̃se/

動 ❶発音する　❷述べる、(言葉を) 発する
代動 〈se prononcer〉意見を述べる
⇒ prononciation 女 発音

étranger(ère)
/etrɑ̃ʒe, -ɛːr/

形 ❶外国の、外国人の　❷関係のない
名 外国人、部外者

une **base**
/baːz/

女 ❶基礎、土台、根本原理　❷基地
　★ base de données　データベース
⇒ baser 動《sur, に》基礎を置く

une **prison**
/prizɔ̃/

女 ❶刑務所　❷禁固、懲役
⇒ emprisonner 動 投獄する
⇒ prisonnier(ère) 名 囚人、捕虜

une **règle**
/rɛgl/

女 ❶規則、ルール、戒律　❷物差し
　❸《複》生理
⇒ régler 動 支払う、解決する、調整する

importer
/ɛ̃pɔrte/

動 輸入する
⇔ exporter 動 輸出する

049	☐☐	限界を超える	<u>dépasser</u> les limites
050	☐☐	気温は 30 度だ	Il fait trente <u>degrés</u>.
051	☐☐	メッセージを送る	envoyer un <u>message</u>
052	☐☐	あるグループに属する	<u>appartenir à</u> un groupe
053	☐☐	家賃を払う	<u>payer</u> le loyer
054	☐☐	平均的な背丈の男	un homme de taille <u>moyenne</u>
055	☐☐	何か飲み物はいかがですか?	Vous voulez <u>quelque chose</u> à <u>boire</u> ?
056	☐☐	フランス国家警察	<u>Police</u> nationale de France
057	☐☐	免疫系	le <u>système</u> immunitaire
058	☐☐	真実を知らない	<u>ignorer</u> la vérité
059	☐☐	ベルギー国民	le <u>peuple</u> belge
060	☐☐	夢を実現させる	<u>réaliser</u> son rêve

	dépasser /depase/	動 ❶越える、上回る ❷追い越す、通り過ぎる ⇒ dépassement 男 （車の）追い越し
un	**degré** /dəgre/	男 ❶度 ❷段階、程度
un	**message** /mesa:ʒ/	男 ❶伝言　❷主張、メッセージ ⇒ messager(ère) 名 使者 ⇒ messagerie 女 留守番電話、ウェブメール
	appartenir /apartəni:r/	動 ❶《à, に》所属する ❷《à, の》ものである ⇒ appartenance 女 所属
	payer /peje/	動 ❶（お金を）支払う　❷報いる ❸代償を払う　❹利益をもたらす ⇒ paiement 男 支払い
	moyen(ne) /mwajɛ̃, mwajɛn/	形 平均的な、並の、中くらいの 女 〈moyenne〉 平均（値）
	quelque chose /kɛlkəʃo:z/	代 《不定代名詞》何か、あるもの、あること
la	**police** /pɔlis/	女 警察 ⇒ policier(ère) 形 警察の；名 警察官
un	**système** /sistɛm/	男 ❶系、体系　❷方法、方式　❸制度 ❹装置、システム ★ Système d'exploitation　オペレーションシ ステム、OS
	ignorer /iɲɔre/	動 ❶知らない　❷無視する ⇒ ignorance 女 無知
un	**peuple** /pœpl/	男 ❶国民、民族　❷民衆 ⇒ peupler 動 住まわせる、住みつく
	réaliser /realize/	動 ❶実現させる　❷（映画・番組を）監督 する　❸（＜英語）気づく ⇒ réalisateur(trice) 名 映画監督 ⇒ réalisation 女 実現、作品、制作、演出

Un nouvel employé

A : Ton nouveau secrétaire... il a un léger accent étranger, non ?

B : Diego ? Oui, il est moitié chilien et il a étudié à l'université du Chili, à Santiago.

A : C'est pour ça ! Sa manière de prononcer les « r » est vraiment particulière...

B : Et alors ? L'important*, c'est comment il travaille... pas comment il parle !

補足　* important 男 重要なこと。L'important, (c')est de ＋不定詞「重要なのは、…することである」という構文で使われることが多い

新入社員

A : 君の新しい秘書って、少し外国人っぽいなまりがあるよね？

B : ディエゴのこと？　そうね、彼はチリ人とのハーフで、サンティアゴにあるチリ大学で勉強したのよ。

A : そのせいか！　彼は R の発音の仕方がとても特徴的だよね…。

B : だから何？　大事なのは、どう仕事するかで、話し方じゃないでしょ！

仏検

3級

準2級

La météo

Voici les prévisions pour demain. La matinée sera belle et le soleil brillera dans l'ensemble de l'Hexagone*. Les températures seront généralement douces : dix-huit à Bordeaux, dix-neuf à Paris et le thermomètre** devrait dépasser vingt degrés à Nice et au Pays Basque. En revanche, pour cet après-midi, on annonce des nuages avec des vents froids et on prévoit de la pluie dans la majeure partie du pays, mais également des orages, notamment dans le Sud.

補足 * l'Hexagone 男 フランス本土。hexagone は「六角形」を指す。フランス本土の形がほぼ六角形のことから
** thermomètre 男 温度計

天気予報

　明日の予報です。午前中は天気が良く、フランス本土全体で太陽が輝くでしょう。気温はおおむね暖かく、ボルドーで 18 度、パリで 19 度、ニースやバスク地方の温度計では 20 度を越える見込みです。しかし、午後には冷たい風をもたらす雲が広がり、全国的に広く雨になる模様で、特に南部ではにわか雨も予測されています。

21

061	☐☐ 得点をあげる	<u>marquer</u> un but
062	☐☐ 君のおかげで	<u>grâce</u> <u>à</u> toi
063	☐☐ パリの郊外に住む	habiter en <u>banlieue</u> parisienne
064	☐☐ 彼女に攻撃された	Elle m'<u>a</u> <u>attaqué</u>.
065	☐☐ 希望を持ち続ける	garder <u>espoir</u>
066	☐☐ 彼（女）の親切を 高く評価する	<u>apprécier</u> sa gentillesse
067	☐☐ 工事を監督する	<u>surveiller</u> les travaux
068	☐☐ それは大して 重要ではない	Ça n'a pas d'<u>importance</u>.
069	☐☐ 機動隊によって 行われた作戦	une <u>opération</u> menée par les forces de l'ordre
070	☐☐ ユーロ圏	la <u>zone</u> euro
071	☐☐ 品質を検査する	<u>contrôler</u> la qualité
072	☐☐ 事故が起きた	Un accident <u>s'est</u> <u>produit</u>.

仏検

3 級

準 2 級

	marquer /marke/	動 ❶印をつける、示す ❷（得点を）あげる ❸大きな影響を残す ❹強調する ❺《話》書きつける ⇒ marquant(e) 形 印象的な
une	**grâce** /grɑ:s/	女 ❶恩恵 ❷優雅さ ★ grâce à... …のおかげで
une	**banlieue** /bãljø/	女 郊外
	attaquer /atake/	動 ❶攻撃する、襲う ❷取り組む、着手する 代動 〈s'attaquer à...〉…に取りかかる ⇒ attaque 女 攻撃、発作
l'	**espoir** /ɛspwa:r/	男 ❶希望 ❷期待の的 ⇔ désespoir 男 絶望
	apprécier /apresje/	動 ❶高く評価する、真価を認める ❷見積もる、測る ⇒ appréciation 女 評価、見積り
	surveiller /syrvɛje/	動 ❶監視する、監督する ❷注意する、気をつける ⇒ surveillance 女 監視
l'	**importance** /ɛ̃pɔrtɑ̃:s/	女 重要性、重大さ ⇒ important(e) 形 重要な
une	**opération** /ɔperasjɔ̃/	女 ❶手術 ❷操作、作業、活動、演算 ❸軍事作戦 ⇒ opérer 動 手術する、実行する、作用する
une	**zone** /zo:n/	女 地区、圏、区域、領域、地帯
	contrôler /kɔ̃trole/	動 ❶検査する、点検する、取り締まる ❷制御する、支配する ⇒ contrôle 男 点検 ⇒ contrôleur(se) 名 改札係、車掌、検査官
	produire /prɔdɥi:r/	代動 〈se produire〉起こる、生じる 動 ❶生産する、制作する ❷引き起こす

23

073	☐☐☐ 従業員を解雇する	<u>renvoyer</u> un employé
074	☐☐☐ 彼（女）の兄と一緒に	<u>en</u> <u>compagnie</u> <u>de</u> son frère
075	☐☐☐ 大成功	un <u>énorme</u> succès
076	☐☐☐ 強い意志を持つ	avoir une grande force de <u>volonté</u>
077	☐☐☐ 村の住民	les <u>habitants</u> du village
078	☐☐☐ 計画の変更	un <u>changement</u> de plan
079	☐☐☐ あなたをお招きできて光栄です	C'est un <u>honneur</u> de vous recevoir.
080	☐☐☐ 芸術作品	une <u>œuvre</u> d'art
081	☐☐☐ 黙秘する	garder le <u>silence</u>
082	☐☐☐ 他のある人と連絡をとる	entrer en <u>contact</u> avec une autre personne
083	☐☐☐ サイトの閲覧数を増やす	<u>augmenter</u> le nombre de visites du site
084	☐☐☐ 請求書の支払いをする	<u>régler</u> une facture

	renvoyer /rɑ̃vwaje/	動 ❶送り返す、戻す　❷解雇する、追い払う ❸延期する　❹参照される ⇒ renvoi 男 解雇
une	**compagnie** /kɔ̃paɲi/	女 ❶一緒にいること、同伴　❷会社　❸劇団 ⇒ accompagner 動 つき添う ⇒ compagne 女 連れ、パートナーの女性 ⇒ compagnon 男 連れ、パートナーの男性
	énorme /enɔrm/	形 巨大な、ばく大な、並外れた ★ C'est énorme.　そいつは何とも驚いた ⇒ énormément 副 並外れて
la	**volonté** /vɔlɔ̃te/	女 ❶意志、意欲、意向 ❷《複》わがまま、気まぐれ ★ à volonté　好きなだけ ★ bonne volonté　熱意、やる気
	habitant(e) /abitɑ̃, -ɑ̃:t/	名 住民、居住者、地元の人 ⇒ habitation 女 住居、住まい
un	**changement** /ʃɑ̃ʒmɑ̃/	男 ❶変更、変化　❷乗り換え ⇒ changer 動 変える、変わる ⇒ change 男 両替、為替
un	**honneur** /ɔnœ:r/	男 ❶名誉　❷尊敬　❸敬意の印 ⇒ honoraire 形 名誉職の ⇒ honorer 動 名誉をたたえる
une	**œuvre** /œvr/	女 ❶作品、著作　❷仕事、活動　❸業績、成果 ★ mettre en œuvre　活用する、適用する ⇒ chef-d'œuvre 男 傑作
le	**silence** /silɑ̃:s/	男 ❶沈黙、黙秘、音信不通　❷静寂 ★ Silence !　静かに！ ★ une minute de silence　1分間の黙とう
un	**contact** /kɔ̃takt/	男 ❶接触、連絡、親密な関係　❷スイッチ ⇒ contacter 動 連絡をとる
	augmenter /ɔgmɑ̃te/	動 ❶増やす、値上げする ❷上がる、値上がりする、増える ⇒ augmentation 女 増加、値上げ、上昇
	régler /regle/	動 ❶支払う　❷解決する　❸調整する ⇒ réglage 男 調整、調節

085	☐☐☐ リストを作成する	faire une <u>liste</u>
086	☐☐☐ 後で合流します	Je vous <u>rejoindrai</u> plus tard.
087	☐☐☐ 厳しい措置を講じる	prendre des <u>mesures</u> strictes
088	☐☐☐ 音楽に対する情熱	la <u>passion</u> pour la musique
089	☐☐☐ インド軍	l'<u>armée</u> indienne
090	☐☐☐ 靴を脱ぐ	<u>enlever</u> ses chaussures
091	☐☐☐ そういうことなら、もう帰るよ！	<u>Puisque</u> c'est comme ça, je m'en vais !
092	☐☐☐ リスクを未然に防ぐ	<u>prévenir</u> les risques
093	☐☐☐ 家まで配達する	<u>livrer</u> à domicile
094	☐☐☐ ひと部屋予約する	<u>réserver</u> une chambre
095	☐☐☐ 私は 15 分早く来た	Je suis <u>en</u> <u>avance</u> d'un quart d'heure.
096	☐☐☐ 発展途上国	un pays <u>en</u> <u>voie</u> de développement

une	**liste** /list/	女 リスト、一覧表、名簿 ⇒ lister 動 リストに載せる
	rejoindre /r(ə)ʒwɛ̃:dr/	動 ❶合流する、再び一緒になる ❷戻る ⇒ joindre 動 結合する、連絡をとる、会う
une	**mesure** /m(ə)zy:r/	女 ❶測定、寸法 ❷措置、対策 ❸節度 ★ prendre des mesures 対策を講じる ⇒ mesurer 動 測定する、見積もる
une	**passion** /pasjɔ̃/	女 情熱、《de, への》熱狂、熱中 ⇒ passionner 動 熱中させる ⇒ passionnant(e) 形 非常に面白い
une	**armée** /arme/	女 軍、軍隊 ★ armée de l'air [terre] 空［陸］軍 ⇒ arme 女 武器 ⇒ armer 動 武装させる
	enlever /ãlve/	動 ❶取り除く、消し去る、奪う ❷脱ぐ、外す ❸誘拐する、運び出す ⇒ enlèvement 男 誘拐、除去
	puisque /pɥisk(ə)/	接 …なのだから、…である以上 ＊相手が既に知っている理由を挙げる
	prévenir /prevni:r/	動 ❶前もって知らせる ❷予防する ❸通報する ⇒ prévention 女 予防（措置）
	livrer /livre/	動 ❶配達する、届ける ❷引き渡す ★ livrer bataille 戦闘を始める ⇒ livraison 女 配達
	réserver /rezɛrve/	動 ❶予約する ❷〈réserver A à B〉A を B の専用にする ❸取っておく ⇒ réservation 女 予約
une	**avance** /avã:s/	女 進んでいること、前進、先行 ★ à l'avance / d'avance / par avance 前もっ て、あらかじめ ★ en avance （予定より）早く
une	**voie** /vwa/	女 ❶道路、車線、線路 ❷方法、手段 ★ en voie de... …しつつある

097	□ □ □ アメリカ兵	un <u>soldat</u> américain
098	□ □ □ クレープのレシピ	une <u>recette</u> de crêpes
099	□ □ □ ぜいたく品	un <u>objet</u> de luxe
100	□ □ □ 暴力との戦い	la lutte contre la <u>violence</u>
101	□ □ □ それは大きな利益を もたらす	Ça <u>rapporte</u> gros.
102	□ □ □ 状況はもっと悪い	La situation est encore <u>pire</u>.
103	□ □ □ パーティーを 企画する	<u>organiser</u> une fête
104	□ □ □ 無責任な行為	un <u>acte</u> irresponsable
105	□ □ □ 世界的なレベルの 問題	un problème au <u>niveau</u> mondial
106	□ □ □ 何人かの人	un <u>certain</u> <u>nombre</u> <u>de</u> personnes
107	□ □ □ インターネットへの アクセス	l'<u>accès</u> <u>à</u> Internet
108	□ □ □ 住居を探す	chercher un <u>logement</u>

soldat(e) /sɔlda, -at/	名 兵士 ⇒ militaire 名 軍人；形 軍事的な
une **recette** /r(ə)sɛt/	女 レシピ、作り方、こつ
un **objet** /ɔbʒɛ/	男 ❶物、品物 ❷対象、目的、目的語 ★ faire [être] l'objet de... …の対象になる
la **violence** /vjɔlɑ̃:s/	女 ❶暴力、《複》暴行 ❷激しさ、荒々しさ ⇒ violent(e) 形 乱暴な
rapporter /rapɔrte/	動 ❶（利益を）もたらす ❷（元の場所に） 戻す ❸持ち帰る ❹報告する 代動 〈se rapporter à...〉❶…と関係がある ❷…を信頼する
pire /pi:r/	形 《mauvais の比較級、最上級》より悪い、 最悪の 男 最悪のこと
organiser /ɔrganize/	動 ❶企画準備する、計画を立てる ❷組織する、調整する 代動 〈s'organiser〉行動の段取りをつける
un **acte** /akt/	男 ❶行為 ❷証書 ❸《劇》幕 ⇒ acteur(trice) 名 役者、当事者
un **niveau** /nivo/	男 ❶水準、レベル ❷高度、水位 ❸階 (複 *niveaux*)
un **nombre** /nɔ̃:br/	男 数、数量 ⇒ nombreux(se) 形 多くの
un **accès** /aksɛ/	男 ❶入ること、アクセス ❷入り口、通路 ❸発作 ⇒ accéder 動 《à, に》達する、到達する ⇒ accessible 形 近づきやすい
un **logement** /lɔʒmɑ̃/	男 住居、居住 ⇒ loger 動 泊まる、住む

109	☐☐☐ それは最高だ！	C'est <u>super</u> !
110	☐☐☐ 損害を引き起こす	<u>causer</u> des dommages
111	☐☐☐ 価格を下げる	<u>baisser</u> le prix
112	☐☐☐ 警察の特殊部隊	une <u>unité</u> spéciale de la police
113	☐☐☐ 転職という リスクを取る	prendre le <u>risque</u> de changer d'emploi
114	☐☐☐ 並外れた才能	un talent <u>extraordinaire</u>
115	☐☐☐ 寒さに気をつける	<u>prendre garde</u> au froid
116	☐☐☐ 彼女はお父さんに 似ている	Elle <u>ressemble à</u> son père.
117	☐☐☐ アパルトマンを 退去する	quitter son <u>appartement</u>
118	☐☐☐ 経済危機	une <u>crise</u> économique
119	☐☐☐ タイヤの状態を 点検する	<u>vérifier</u> l'état des pneus
120	☐☐☐ 表現の自由	la <u>liberté</u> d'expression

super /sypɛːr/	形《不変》《話》すごい、最高な
	副《話》すごく
causer /koze/	動 引き起こす、原因となる
	⇒ cause 女 原因
baisser /bese/	動 低くする、下げる
	★ baisser les yeux 目を伏せる
	⇒ baisse 女 低下、値下げ
l' **unité** /ynite/	女 ❶統一性、まとまり ❷単位 ❸隊 ❹(商品の)1個 ❺《情報》装置、ユニット ❻《数》1の位の数
un **risque** /risk/	男 危険、おそれ
	⇒ risquer 動 危険にさらす
extraordinaire /ɛkstraɔrdinɛːr/	形 並外れた、異常な、すごい
	⇒ extraordinairement 副 桁外れに
la **garde** /gard/	女 ❶保管、管理 ❷保護、監視
	★ prendre garde à... …に気をつける
	★ garde à vue 拘留
ressembler /r(ə)sãble/	動《à, に》似ている、ふさわしい
	代動〈se ressembler〉互いに似ている
	⇒ ressemblance 女 似ていること、類似
un **appartement** /apartəmã/	男 アパルトマン、マンション
	*集合住宅内の1世帯用住居で、複数の部屋があるもの
	⇒ studio 男 ワンルームマンション
une **crise** /kriːz/	女 ❶危機、恐慌 ❷発作
	★ en crise 危機に瀕して
vérifier /verifje/	動 確認する、点検する、検査する
	⇒ vérification 女 検査、確認
la **liberté** /libɛrte/	女 自由
	★ Liberté, Egalité, Fraternité 自由・平等・友愛《フランス共和国の標語》

Un pâtissier vedette

A : Tu sais quoi* ? J'ai pu réserver une place pour un cours avec Christophe Contini !

B : Ah, le pâtissier ? C'est super ! A la télé**, ses recettes sont extraordinaires.

A : Oui, il y a toujours une grande liberté dans ses créations*** et on sent que c'est vraiment sa passion.

補足   * tu sais quoi ? :「ねえ、知っている?」「聞いてよ」と友達や知り合いの注意を引くときに使う定型表現
     ** la télé : la télévision の省略形で、頻繁に会話で使われる。俗語で la téloche という語もある
     *** création 囡 創造物、作品

仏検
3級
準2級

売れっ子パティシエ

A：ねえ、聞いてよ。クリストフ・コンティニのレッスンを予約できたの！

B：あっ、あのパティシエの？ よかったね！ テレビでは彼のレシピはすばらしいよね。

A：うん、彼の作るスイーツにはいつも自由さがあふれていて、情熱が伝わってくるの。

L'immobilier

Il y a souvent des problèmes de logement dans les grandes villes. Les gens veulent habiter dans le centre, où le nombre d'habitants ne cesse* d'augmenter depuis plusieurs années. A cause de cela, il n'y a pas assez d'appartements disponibles**, notamment pour les étudiants étrangers qui sont venus étudier en France. Ces étudiants choisissent donc des logements en banlieue, mais avec un accès facile à leur université ou à leur école.

> 補足　* ne (pas) cesser de 不定詞：…するのをやめない、…し続ける。pouvoir, savoir,
> oser といった動詞と同様に、否定のときに pas を省略することができる
> ** disponible 形 自由に使用できる、空いている

不動産

　大都市では、住宅問題に直面することが頻繁にある。人々は街の中心部に住みたがり、居住者数はここ何年も増加し続けている。そのため、利用できる住宅は足りておらず、フランスに学びに来た外国人留学生は特に影響を受けている。そこで留学生たちは、郊外にありながらも大学や学校に容易にアクセスできる住宅を選んでいる。

単純未来と近接未来

A : Allô ? Je suis désolé, j'ai raté mon train et <u>je serai</u> en retard de dix minutes.

B : Ok, donc tu arrives vers 19h40 ? <u>Je vais prendre</u> les tickets et on se retrouve devant le cinéma.

A : もしもし、ごめん、電車に乗り遅れて 10 分ぐらい遅れそう。

B : オッケー、じゃあ 19 時 40 分頃に着く感じかな？ チケットを取っておくから、映画館の前で合流しよう。

ポイント1 単純未来と近接未来は、それぞれ必ずしも遠い未来と近い未来を表すわけではない。「言いやすさ」が決め手となるときも

やり取りの中にある je serai en retard は je vais être en retard とも言えますが、特に会話では je serai の方が早く発音できるため、単純未来が好まれる傾向にあります。とりわけ音節数の少ない活用形は会話で頻繁に使われます（j'aurai, je ferai...）。

同様に、発音上の理由で近接未来が選ばれるときもあります。例えば中性代名詞 y の後に aller の単純未来を使用すると、j'y irai のように同じ母音が 2 つ続くことになり、発音しづらくなってしまいます。そのため、je vais y aller といった近接未来を使う方が自然です。

ポイント2 近い未来に起こる事柄に関しては、直説法現在で言うことも

2 つ目のセリフにある tu arrives のように、現在形で近い未来を表すこともできます。tu vas arriver に変えることもできますが、vers 19h40 という時間表現があるため、直説法現在の tu arrives で十分に未来のニュアンスが出ていると判断できます。on se retrouve は、je vais prendre les tickets の後にあるため、近い未来の話をしていることが明らかです。

練習問題 近接未来の動詞を単純未来に直して、文を作りましょう。

1）Je vais faire de mon mieux. 最善を尽くします。
2）Tu ne vas pas avoir le temps de manger.

食べる時間が取れなさそうだね。

3）Vous allez être combien ？ 何名さまでいらっしゃる予定でしょうか？
4）Demain, il va y avoir du monde !

明日、たくさん人が来るんだろうな！

（答えは 189 ページ）

人称代名詞の間接目的語と強勢形

A : Tu as pu parler à la chanteuse, après le concert ?

B : Oui, j'ai pu <u>lui</u> parler et je <u>lui</u> ai donné mes coordonnées. Je vais peut-être faire une nouvelle chanson avec <u>elle</u>.

A : コンサートの後、あの歌手と話ができた？

B : できたよ！ それに自分の連絡先も渡せた。もしかしたら彼女と一緒に新曲を作るかも。

ポイント1 　人称代名詞の間接目的語なのか、強勢形なのか

間接目的語の場合、特に間違えやすいのは lui です。間接目的語の lui は男性だけでなく、女性も指せるということをしっかり覚えておきましょう。この会話中にある lui は、à la chanteuse を置き換えています。その一方で、会話の最後にある avec elle では強勢形が使われています。これは前置詞 avec の後に置かれているためです。

ポイント2 　人称代名詞の間接目的語の位置を確認

je lui ai donné のような複合過去の文では、助動詞 avoir の前に lui を置きます。j'ai pu lui parler も同じく複合過去ですが、準助動詞 pouvoir が使われているため、lui は直接関係のある動詞 parler の前、pouvoir の後に置かれます。準助動詞以外では、近接未来を表すときに使う aller でも、人称代名詞の間接目的語が後に置かれます (je vais <u>lui</u> parler)。

練習問題 　和訳に合うように、適切な人称代名詞を入れましょう。

1) Je vais ____ dire que tu es là.　君が来ていると<u>彼女</u>に知らせるね。

2) Je ____ ai répondu que ce n'était pas possible.

それは無理だと<u>彼ら</u>に答えた。

3) Vous partez avec ____ ?　<u>彼ら</u>と一緒に行くんですか？

4) Je pense que ça ____ plaira.

<u>彼女</u>はこのプレゼントを気に入るでしょう。

（答えは 189 ページ）

121	☐☐☐ 会議に参加する	<u>participer à</u> une réunion
122	☐☐☐ 仕事を見つける	trouver un <u>emploi</u>
123	☐☐☐ レジスタンスの英雄たち	les <u>héros</u> de la Résistance
124	☐☐☐ 助けて！	<u>Au</u> <u>secours</u> !
125	☐☐☐ 平和を脅かす	<u>menacer</u> la paix
126	☐☐☐ 経済活動を支える	<u>soutenir</u> l'activité économique
127	☐☐☐ 太陽の光を電気に変える	<u>transformer</u> la lumière du soleil en électricité
128	☐☐☐ コンセントにつなぐ	brancher sur une <u>prise</u> électrique
129	☐☐☐ ちょうどあなたのことを話していたんですよ	On parlait <u>justement</u> de vous.
130	☐☐☐ 木製のおもちゃを製造する	<u>fabriquer</u> des jouets en bois
131	☐☐☐ ヒエラルキーの頂点に	au <u>sommet</u> de la hiérarchie
132	☐☐☐ テレビのチャンネル	une <u>chaîne</u> de télévision

participer /partisipe/	動《à, に》参加する
	⇒ participant(e) 名 参加者
	⇒ participation 女 参加

un **emploi** /ãplwa/	男 ❶仕事、職 ❷使用、用法
	★ emploi du temps 時間割
	⇒ employer 動 用いる

| un †**héros** /ero/ | 男 英雄、主人公 |
| | ＊女性は héroïne 女 |

| un **secours** /s(ə)ku:r/ | 男 救助、援助、応急処置 |
| | ⇒ secourir 動 救助する |

| **menacer** /mənase/ | 動 ❶脅す、脅迫する ❷ (危険が) 迫る |
| | ⇒ menace 女 脅し、脅威 |

soutenir /sutni:r/	動 ❶支える ❷支援する ❸主張する
	❹維持する
	⇒ soutien 男 支え、支持

transformer /trãsforme/	動 変える
	代動〈se transformer〉変わる
	⇒ transformation 女 変化、変形

une **prise** /pri:z/	女 ❶取ること、つかむこと ❷コンセント、
	プラグ、取り入れ口 ❸固まること
	⇒ prendre 動 手に取る、乗る

| **justement** /ʒystəmã/ | 副 ちょうど、まさに |
| | ⇒ juste 形 正確な、適切な |

| **fabriquer** /fabrike/ | 動 ❶製造する、作る ❷《話》する |
| | ⇒ fabrication 女 製造 |

| un **sommet** /sɔmɛ/ | 男 ❶山頂、頂上 |
| | ❷首脳会談、サミット |

une **chaîne** /ʃɛn/	女 ❶鎖、連鎖、ひと続き ❷チャンネル
	❸ (店の) チェーン
	⇒ enchaîner 動 鎖でつなぐ

133	☐☐☐ 道を教える	<u>indiquer</u> le chemin
134	☐☐☐ 警報を発する	donner un <u>signal</u> d'alarme
135	☐☐☐ 3メートルの 高さがある	avoir trois mètres de <u>hauteur</u>
136	☐☐☐ 彼（女）の電話番号を 書き留める	<u>noter</u> son numéro de téléphone
137	☐☐☐ 結局、私はそこに 行かなかった	<u>Finalement</u>, je n'y suis pas allé.
138	☐☐☐ ミスを犯す	<u>commettre</u> des erreurs
139	☐☐☐ 演説する	prononcer un <u>discours</u>
140	☐☐☐ 我慢強さを示す	<u>faire</u> <u>preuve</u> de patience
141	☐☐☐ 裁判官は彼を 有罪だと認めた	Le juge l'a reconnu <u>coupable</u>.
142	☐☐☐ 努力する	faire des <u>efforts</u>
143	☐☐☐ プレッシャーを受け ながら仕事をする	travailler sous <u>pression</u>
144	☐☐☐ 駅であなたを 降ろしてあげますよ	Je vous <u>dépose</u> à la gare.

	indiquer /ɛ̃dike/	動 ❶指し示す、教える ❷（日時を）指定する ⇒ indication 女 指示、表示
un	**signal** /siɲal/	男 ❶合図、サイン ❷信号（機）、標識 (複 *signaux*) ⇒ signaler 動 知らせる
la	†**hauteur** /otœːr/	女 ❶高さ ❷高台 ❸尊大 ★ à la hauteur de... …の高さ［レベル］に、…に対処し得る ⇒ haut(e) 形 高い
	noter /nɔte/	動 ❶書き留める、メモする ❷注意する、気づく ❸採点する ⇒ note 女 メモ、注、成績 ⇒ notamment 副 とりわけ
	finalement /finalmɑ̃/	副 最終的に、結局 ⇒ final(e) 形 終わりの、最後の
	commettre /kɔmɛtr/	動 （犯罪・過失を）犯す
un	**discours** /diskuːr/	男 ❶演説、スピーチ ❷言説 ❸《文法》話法
une	**preuve** /prœːv/	女 ❶証拠、あかし ❷検算 ★ faire preuve de... …を示す ⇒ prouver 動 証明する
	coupable /kupabl/	形 有罪の、罪のある 名 犯人、罪人 ⇒ culpabilité 女 有罪（性）
un	**effort** /efɔːr/	男 努力 ⇒ s'efforcer 代動 努力する
une	**pression** /prɛsjɔ̃/	女 圧力、プレッシャー、影響 ⇒ presser 動 押す、握りしめる、搾る
	déposer /depoze/	動 ❶（持っていたものを）置く、（車から人を）降ろす ❷預ける ❸提出する、申し立てる ⇒ dépôt 男 預金、倉庫、（商標の）登録

145	☐ 品質のよい ☐ オリーブオイル ☐	une huile d'olive <u>de</u> <u>qualité</u>
146	☐ ☐ 顔色がよい ☐	avoir bonne <u>mine</u>
147	☐ ☐ 時間の無駄 ☐	une <u>perte</u> de temps
148	☐ ☐ 裁判官が下した決定 ☐	la décision des <u>juges</u>
149	☐ ☐ 運動を再開する ☐	reprendre une <u>activité</u> <u>sportive</u>
150	☐ ☐ 完全にリラックスして ☐	<u>parfaitement</u> à l'aise
151	☐ ☐ 喫煙禁止 ☐	<u>Défense</u> <u>de</u> fumer.
152	☐ ☐ 画面に視線を投じる ☐	jeter un <u>regard</u> sur l'écran
153	☐ ☐ 世界で7番目の大国 ☐	la septième <u>puissance</u> mondiale
154	☐ ☐ できる限り早急に ☐	le plus <u>rapidement</u> possible
155	☐ ☐ 日本企業で働く ☐	travailler dans une <u>entreprise</u> japonaise
156	☐ ☐ 経験がある ☐	avoir de l'<u>expérience</u>

la	**qualité** /kalite/	女 質、質のよさ、品質 ⇔ quantité 女 量
une	**mine** /min/	女 ❶顔色、顔つき　❷外見、様子 　❸《複》態度 ⇒ mine 女 ❶鉱山、炭鉱　❷（鉛筆の）芯 　　　　　　❸地雷
une	**perte** /pɛrt/	女 ❶失うこと、紛失　❷無駄、浪費 　❸損失　❹敗北 ⇒ perdre 動 失う
	juge /ʒyːʒ/	名 ❶裁判官、判事　❷審査員、審判 ⇒ juger 動 裁く、判断する
une	**activité** /aktivite/	女 活動、仕事、活気 ⇒ actif(ve) 形 活発な、効能のある
	parfaitement /parfɛtmã/	副 ❶完璧に　❷まったく 　❸そうですとも、そのとおり ⇒ parfait(e) 形 完璧な
la	**défense** /defãːs/	女 ❶禁止　❷防衛、弁護 ⇒ défendre 動 禁止する、守る
un	**regard** /r(ə)gaːr/	男 視線、まなざし、目つき 　★ au regard de... …に照らして
la	**puissance** /pɥisãːs/	女 ❶力、強さ、権力　❷大国 　❸《数》累乗 ⇒ puissant(e) 形 強い、力がある
	rapidement /rapidmã/	副 急速に、迅速に、急いで ⇒ rapide 形 速い ⇒ rapidité 女 速さ、スピード
une	**entreprise** /ãtrəpriːz/	女 ❶企業、会社　❷企て、計画 ⇒ entreprendre 動 取りかかる
une	**expérience** /ɛksperjãːs/	女 ❶経験、体験　❷実験、試み ⇒ expérimental(e) 形 実験に基づく

157	報道陣の前で	devant la <u>presse</u>
158	欧州委員会	la <u>Commission</u> européenne
159	他にどうしようもない	On ne peut pas faire <u>autrement</u>.
160	家族を養う	<u>nourrir</u> sa famille
161	WHO（世界保健機関）の調査によると	selon une <u>enquête</u> de l'OMS
162	…を見つめる	<u>fixer</u> son regard sur...
163	テレビの連続ドラマ	une <u>série</u> télévisée
164	簡単な仕事	une <u>tâche</u> facile
165	期日を定める	fixer la date <u>limite</u>
166	神を信じる	croire en <u>Dieu</u>
167	殺人で告発される	être accusé de <u>meurtre</u>
168	個人的な意見	un avis <u>personnel</u>

la **presse** /prɛs/	女 報道、ジャーナリズム、新聞、定期刊行物
une **commission** /kɔmisjɔ̃/	女 ❶委員会　❷伝言　❸《複》買い物 ❹手数料
autrement /otrəmɑ̃/	副 ❶別のやり方で　❷さもなければ ★ autrement dit　言い換えれば
nourrir /nuriːr/	動 ❶食べ物を与える、養う　❷栄養になる、培う　❸（感情などを）抱く ⇒ nourriture 女 食べ物、食事
une **enquête** /ɑ̃kɛt/	女 調査、アンケート、（警察の）捜査 ⇒ enquêter 動 調査する
fixer /fikse/	動 ❶固定する、決める　❷じっと見つめる ❸はっきりさせる ⇒ fixe 形 一定の、動かない
une **série** /seri/	女 ❶ひと続き、ひと揃い　❷シリーズ、連続もの　❸ランク　❹大量生産 ★ de série　大量生産の
une **tâche** /tɑʃ/	女 仕事、任務 ⇒ tâcher 動〈tâcher de 不定詞〉…しようと努める
limite /limit/	形 境界の、限界の、制限の 女 境界、限界、限度 ⇒ limiter 動 区切る、制限する
un **dieu** /djø/	男 神　(複 *dieux*) ★ Mon Dieu !（驚き・失望などから）ああ！ ＊一神教の神は Dieu、多神教の神は dieu
un **meurtre** /mœrtr/	男 殺人 ⇒ meurtrier(ère) 名 人殺し；形（事故などが）多数の死者を出す
personnel(le) /pɛrsɔnɛl/	形 個人の、私的な、個性的な 男《集合的》従業員

169	☐☐☐ 誤って責める	<u>accuser</u> à tort
170	☐☐☐ 電子機器	un <u>appareil</u> électronique
171	☐☐☐ 医者不足を嘆く	<u>se</u> <u>plaindre</u> <u>du</u> manque de médecins
172	☐☐☐ 予約を確認する	<u>confirmer</u> une réservation
173	☐☐☐ 私が間違えていたことに気がついた	Je <u>me</u> <u>suis</u> <u>aperçu</u> que je m'étais trompé.
174	☐☐☐ 数を減らす	<u>réduire</u> le nombre
175	☐☐☐ 質の高い製品	des <u>produits</u> de qualité
176	☐☐☐ まったく疑いなく	sans <u>le</u> <u>moindre</u> doute
177	☐☐☐ それは多くのエネルギーを要する	Ça demande beaucoup d'<u>énergie</u>.
178	☐☐☐ 事故で男性1人が重傷	un homme <u>sérieusement</u> blessé dans un accident
179	☐☐☐ 国として認められる	être reconnu comme <u>nation</u>
180	☐☐☐ 責任を持って行動する	prendre ses <u>responsabilités</u>

accuser
/akyze/

動 ❶非難する、責める、告発する
❷はっきり示す
⇒ accusation 女 非難、告訴

un **appareil**
/aparɛj/

男 ❶装置、器具　❷写真機、電話機
❸（身体の）器官

plaindre
/plɛ̃:dr/

代動〈se plaindre de...〉…に不平を言う、
…について嘆く
動 気の毒に思う、同情する
⇒ plainte 女 ❶うめき声　❷不平　❸告訴

confirmer
/kɔ̃firme/

動 確かめる、確かだと言う
⇔ démentir 動 , nier 動 否定する
⇒ confirmation 女 確認

apercevoir
/apɛrsəvwa:r/

代動〈s'apercevoir de... / que 直説法〉
…に気づく
動 ❶見える　❷理解する

réduire
/redɥi:r/

動 ❶減らす、縮小する
❷追い込む、単純化する　❸煮詰める
⇒ réduction 女 削減、値引き

un **produit**
/prɔdɥi/

男 ❶生産物、製品、結果　❷収益、収入
⇒ production 女 生産（物）、発生、制作

moindre
/mwɛ̃:dr/

形 ❶より小さい、より少ない　❷《定冠詞
を伴って》最も小さい、ごくわずかな
* petit の比較級。抽象的なものに用いる

l' **énergie**
/enɛrʒi/

女 エネルギー、力、気力
⇒ énergique 形 精力的な

sérieusement
/serjøzmɑ̃/

副 ❶本気で、真剣に
❷（病気などが）重く、ひどく
⇒ sérieux(se) 形 真面目な、重大な

une **nation**
/nasjɔ̃/

女 国、国家、国民
★ L'Organisation des Nations Unies　国連 (=l'ONU)
⇒ national(e) 形 国の、国民の
⇒ nationalisme 男 ナショナリズム

la **responsabilité**
/rɛspɔ̃sabilite/

女 責任、責務
⇒ responsable 形 責任がある

A Nice

A : Ah, vous étiez où ?

B : J'étais en hauteur, sur la Colline du Château. Il faut faire quelques efforts pour monter les escaliers, mais une fois qu'on arrive au sommet, on a une vue magnifique sur toute la région niçoise. J'ai pu apercevoir le vieux port et même Antibes !

A : Vous en* avez, de l'énergie ! Il y a un ascenseur aussi, non ?

B : Oui, mais ce n'est pas la même chose ! C'est une expérience à faire.

> **補足**　* en : 部分冠詞の du / de la / de l' や不定冠詞の des をつけた名詞を受ける中性代名詞。ここでは、後に続く de l'énergie を指す

ニースにて

A : どこに行ってらっしゃったのですか？

B : 高いところまで行ってきたよ。シャトーの丘の上まで。階段を上るのはちょっと大変だけど、頂上に着いてしまえば、ニース一帯を見渡せるすばらしい眺めなんだ。旧港やアンティーブでさえ見えたよ。

A : お元気ですね！ エレベーターもありませんでしたっけ？

B : そうだけど、それでは違うんだよ！ これは、誰もが体験するべきことだよ！

仏検

3級

準**2**級

46

Innocent

Un jour, alors qu'il est en train de prendre son petit-déjeuner chez lui, Thomas se fait* arrêter par la police. On l'accuse à tort d'avoir commis un meurtre ! Après un procès** très rapide, il est mis en prison. Sa sœur aînée, Florence, commence alors sa propre enquête afin de trouver le vrai coupable de cette affaire. Xavier, ancien détective*** à la retraite et ami de Thomas, l'aide à rassembler les preuves de l'innocence de Thomas.

補足　* se faire :「…してもらう」や「…されてしまう」というように、利益や被害のニュアンスが込められた使役動詞
　　例 : Je me suis fait aider par mes amis. 友達に手伝ってもらった
** procès 男 裁判　*** détective 名 探偵

無実

　ある日、家で朝食を摂っているときに、トマは警察に逮捕されてしまった。殺人を犯したと、過って告発されたのである。おざなりな裁判の後、彼は刑務所に入れられてしまう。そこで、この事件の真犯人を見つけようと、彼の姉のフロランスは独自に調査を開始する。そしてトマの友達で退職した元探偵のグザヴィエの助けを借りて、トマの潔白を示す証拠を集めるのであった。

181	☐☐ この国では 当然のことである	C'est <u>normal</u> dans ce pays.
182	☐☐ ゼロからやり直す	<u>repartir</u> à zéro
183	☐☐ それには驚かされた	Ça m'<u>a étonné</u>.
184	☐☐ アルコール分を含む	<u>contenir</u> de l'alcool
185	☐☐ 提案する	faire une <u>proposition</u>
186	☐☐ 彼女の歌手としての キャリア	sa <u>carrière</u> de chanteuse
187	☐☐ 仏伊国境	la <u>frontière</u> franco-italienne
188	☐☐ アレルギー反応	une <u>réaction</u> allergique
189	☐☐☐ 警察は泥棒の 足取りを追っている	La police est sur la <u>piste</u> d'un voleur.
190	☐☐ 群衆に混じる	<u>se mêler</u> à la foule
191	☐☐ その本の著者	l'<u>auteur</u> du livre
192	☐☐ ブランドイメージ	l'image de <u>marque</u>

	normal(e) /nɔrmal/	形 ❶普通の、正常な　❷当然の (男 複 normaux) 女 正常、標準
	repartir /r(ə)parti:r/	動《助動詞は être》❶再出発する、帰る、戻る　❷再び始める
	étonner /etɔne/	動 驚かせる ★ Ça m'étonnerait.　そんなばかな《もしそうなら驚く》
	contenir /kɔ̃tni:r/	動 ❶含む、収容できる　❷抑制する ⇒ contenance 女 容積、態度 ⇒ contenu 男 内容、中身
une	**proposition** /prɔpozisjɔ̃/	女 提案、申し出 ★ proposition de loi　法案 ⇒ proposer 動 提案する
une	**carrière** /karjɛ:r/	女 キャリア、経歴、職業 ★ faire carrière dans...　…で成功する
une	**frontière** /frɔ̃tjɛ:r/	女 国境、境界、限界 ⇒ frontalier(ère) 形 国境の、国境に近い
une	**réaction** /reaksjɔ̃/	女 ❶反応、反響　❷反動 ⇒ réactionnaire 形 名 反動的な（人）
une	**piste** /pist/	女 ❶足跡　❷滑走路、（陸上競技などの）トラック、ゲレンデ　❸未舗装の道
	mêler /mele/	代動〈se mêler〉❶混ざり合う ❷混じる、干渉する 動 ❶混ぜる、ごちゃまぜにする ❷（人を）巻き込む
	auteur(e) /otœ:r/	名 ❶著者、作者　❷犯人、張本人 ★ droit d'auteur 男 著作権
une	**marque** /mark/	女 ❶印、マーク　❷ブランド　❸跡、あざ ❹得点、スコア ⇒ marquer 動 印をつける

193	☐ ☐ 国際オリンピック 委員会	le <u>Comité</u> international olympique
194	☐ ☐ 地面に落ちる	tomber sur le <u>sol</u>
195	☐ ☐ おわびをする	présenter ses <u>excuses</u>
196	☐ ☐ 文章中で下線の 引かれている語	le mot souligné dans le <u>texte</u>
197	☐ ☐ 時間が押している	Le temps <u>presse</u>.
198	☐ ☐ アイロン	un <u>fer</u> à repasser
199	☐ ☐ 簡単に仕事を 見つける	trouver <u>facilement</u> un travail
200	☐ ☐ 交通費の計算をする	faire le <u>calcul</u> des frais de transport
201	☐ ☐ 騒音を我慢すること ができない	Je ne <u>supporte</u> pas le bruit.
202	☐ ☐ 環境保護	la <u>protection</u> de l'environnement
203	☐ ☐ その報告書は…だと ☐ 示唆している	le rapport <u>suggère</u> que...
204	☐ ☐ 自分の国から 逃げ出す	<u>fuir</u> son pays

un **comité** /kɔmite/	男 委員会
le **sol** /sɔl/	男 ❶地面、床 ❷土地、土壌 ❸領土 ⇒ sous-sol 男 地階、地下
une **excuse** /ɛksky:z/	女 ❶言い訳、口実 ❷《複》わび ⇒ excuser 動 許す
un **texte** /tɛkst/	男 ❶文章、本文、原文 ❷文献 ❸台本 ⇒ texto 男 ショートメッセージ
presser /prese/	動 ❶急を要する ❷せき立てる ❸押す、握りしめる、搾る 代動〈se presser〉❶急ぐ ❷ひしめく ⇒ pressé(e) 形 急いでいる
le **fer** /fɛ:r/	男 ❶鉄 ❷アイロン (=fer à repasser) ★ chemin de fer 男 鉄道
facilement /fasilmɑ̃/	副 簡単に、容易に ⇒ facilité 女 容易さ、安易 ⇒ faciliter 動 容易にする
un **calcul** /kalkyl/	男 計算、計略 ⇒ calculer 動 計算する ⇒ calculatrice 女 電卓 ⇒ calculette 女 ポケット電卓
supporter /sypɔrte/	動 ❶支える ❷我慢する、耐える ⇒ supportable 形 耐えられる ⇒ insupportable 形 耐えられない
la **protection** /prɔtɛksjɔ̃/	女 保護 ⇒ protecteur(trice) 名 保護者；形 保護する ⇒ protéger 動 守る、保護する
suggérer /sygʒere/	動 ❶提案する、ほのめかす ❷連想させる ⇒ suggestion 女 提案、示唆
fuir /fɥi:r/	動 ❶逃げる、逃走する ❷漏れる ❸避ける ⇒ fuite 女 逃走、漏れ

205	☐☐☐ 寒さに弱い	être <u>sensible</u> au froid
206	☐☐☐ 人間と市民の権利の宣言	Déclaration des droits de l'homme et du <u>citoyen</u>
207	☐☐☐ 祭りについて一般の人に知らせる	<u>informer</u> le public <u>du</u> festival
208	☐☐☐ 喧嘩に介入する	<u>intervenir</u> dans une dispute
209	☐☐☐ 風景を描写する	<u>décrire</u> un paysage
210	☐☐☐ 上からクリックして画像を選ぶ	sélectionner l'image en cliquant <u>dessus</u>
211	☐☐☐ 原料	les <u>matières</u> premières
212	☐☐☐ バレーボールの試合を録画する	<u>enregistrer</u> un match de volley-ball
213	☐☐☐ 厳しい罰	une peine <u>sévère</u>
214	☐☐☐ 二酸化炭素の排出を減らす	réduire les <u>émissions</u> de CO_2
215	☐☐☐ 貧困問題との戦い	la <u>lutte</u> contre la pauvreté
216	☐☐☐ 従って	<u>en</u> <u>conséquence</u>

	sensible /sɑ̃sibl/	形 ❶敏感な、感受性の強い　❷感知できる ❸デリケートな ⇒ sensibilité 女 感性、知覚能力、感度
	citoyen(ne) /sitwajɛ̃, -ɛn/	名 市民、公民、国民 ⇒ citoyenneté 女 市民権
	informer /ɛ̃fɔrme/	動 ❶知らせる、通知する ❷〈informer A de B〉A に B を知らせる 代動〈s'informer〉問い合わせる、 情報を得る
	intervenir /ɛ̃tɛrvəni:r/	動 ❶介入する、出動する　❷発言する ⇒ intervention 女 介入、仲裁、発言
	décrire /dekri:r/	動 ❶描写する　❷（曲線などを）描く ⇒ description 女 描写
	dessus /d(ə)sy/	副 上に、上方に ★ en dessus 上で、上側に ⇔ dessous 副 下に
une	**matière** /matjɛ:r/	女 ❶物質、物体　❷原料、素材 ❸題材、教科
	enregistrer /ɑ̃r(ə)ʒistre/	動 ❶記録する、録画する、録音する ❷（手荷物を）預ける ⇒ enregistrement 男 登録、録音、録画
	sévère /sevɛ:r/	形 ❶厳しい、容赦のない　❷深刻な ❸堅苦しい ⇒ sévèrement 副 厳しく
une	**émission** /emisjɔ̃/	女 ❶排出、放出　❷放送、番組 ⇒ émettre 動（光・音などを）発する
une	**lutte** /lyt/	女 ❶戦い、闘争、対立　❷レスリング ⇒ lutter 動 戦う
une	**conséquence** /kɔ̃sekɑ̃:s/	女 結果 ★ en conséquence したがって、だから（≒ par conséquent）

217	☐☐☐ 彼の2人目の妻	sa seconde <u>épouse</u>
218	☐☐☐ 戦いに勝利する	gagner une <u>bataille</u>
219	☐☐☐ 私としては	<u>pour</u> <u>ma</u> <u>part</u>
220	☐☐☐ 国際機関	une <u>organisation</u> internationale
221	☐☐☐ 平均給料	le <u>salaire</u> moyen
222	☐☐☐ 最前列に座わる	s'asseoir au premier <u>rang</u>
223	☐☐☐ 給料アップ	une <u>augmentation</u> de salaire
224	☐☐☐ 顧客に情報を提供する	<u>fournir</u> des informations aux clients
225	☐☐☐ 身分証名書	une pièce d'<u>identité</u>
226	☐☐☐ 口座にお金を振り込む	<u>verser</u> de l'argent sur un compte
227	☐☐☐ 同性カップル	un couple de même <u>sexe</u>
228	☐☐☐ 最近、アラビア語を習い始めた	<u>Récemment</u>, j'ai commencé à apprendre l'arabe.

	époux(se) /epu, -uːz/	名 配偶者 ⇒ femme 女 妻 ⇒ mari 男 夫
une	**bataille** /bataːj/	女 戦い、戦闘 ⇒ bagarre 女 乱闘、けんか ⇒ combat 男 戦闘、戦い、試合
une	**part** /paːr/	女 ❶部分 ❷分け前 ★ d'une part..., d'autre part... 一方では…、他方では… ★ de la part de... …からの、…としては
une	**organisation** /ɔrganizasjɔ̃/	女 組織、機関、団体 ⇒ organiser 動 企画準備する、組織する
un	**salaire** /salɛːr/	男 給料、賃金 ⇒ salarié(e) 名 サラリーマン、給与生活者
un	**rang** /rɑ̃/	男 ❶（横の）列 ❷順位、ランク、階級 ⇒ file 女 （縦の）列
une	**augmentation** /ɔgmɑ̃tasjɔ̃/	女 増加、値上げ、上昇 ⇒ augmenter 動 増やす
	fournir /furniːr/	動 提供する、支給する 代動 〈se fournir〉買い物する
l'	**identité** /idɑ̃tite/	女 ❶身分、身元 ❷一致、同一性 ⇒ identifier 動 識別する、身元を確認する ⇒ identifiant 男 ユーザー ID、ログイン名 ⇒ identique 形 同じ、同一の
	verser /vɛrse/	動 ❶そそぐ、つぐ ❷（お金を）払い込む、支払う ❸こぼす、流す ❹ひっくり返す ⇒ versement 男 払い込み、支払い
un	**sexe** /sɛks/	男 ❶性、性別 ❷性器 ❸《話》セックス ⇒ sexuel(le) 形 性の、性的な ⇒ sexisme 男 性差別主義
	récemment /resamɑ̃/	副 つい最近（…した） ＊動詞は過去時制 ⇒ récent(e) 形 最近の

229	☐☐ 約束する	faire une <u>promesse</u>
230	☐☐ チケットを 売りに出す	mettre les billets en <u>vente</u>
231	☐☐ 彼と会話する	avoir une <u>conversation</u> avec lui
232	☐☐ しかしながら 例外がある	<u>Cependant</u>, il y a des exceptions.
233	☐☐ 聞いてくださる ならば	<u>à condition que</u> vous m'écoutiez
234	☐☐ 法学部に登録する	<u>s'inscrire</u> dans une faculté de droit
235	☐☐ 組合との話し合い	des <u>discussions</u> avec le syndicat
236	☐☐ その家の所有者	le <u>propriétaire</u> de la maison
237	☐☐ 説明を求める	demander des <u>explications</u>
238	☐☐ アートギャラリーに 作品を展示する	<u>exposer</u> ses œuvres dans une galerie d'art
239	☐☐ 質を高める	<u>améliorer</u> la qualité
240	☐☐ お笑いショー	un <u>spectacle</u> d'humour

une **promesse** /prɔmɛs/	女 約束 ⇒ promettre 動 約束する
la **vente** /vɑ̃:t/	女 ❶販売、売却　❷売れ行き　❸競売 ⇔ achat 男 購入
une **conversation** /kɔ̃vɛrsasjɔ̃/	女 ❶会話、おしゃべり　❷言葉遣い ❸話し合い ≒ bavardage 男 おしゃべり、無駄話
cependant /s(ə)pɑ̃dɑ̃/	接 しかしながら、にもかかわらず ＊ et cependant の形で多く用いられる
une **condition** /kɔ̃disjɔ̃/	女 ❶条件　❷状態、《複》状況 ★ à condition de 不定詞 / que 接続法 / que 直 説法未来形 …という条件で
inscrire /ẽskri:r/	代動 〈s'inscrire〉登録する、参加を申し込む 動 登録する、記入する ⇒ inscription 女 登録
une **discussion** /diskysjɔ̃/	女 ❶議論、話し合い　❷口論 ⇒ discuter 動 議論する
propriétaire /prɔprijetɛ:r/	名 持ち主、家主 ⇒ propriété 女 所有権、所有物、所有地
une **explication** /ɛksplikasjɔ̃/	女 ❶説明、解説　❷釈明、議論 ⇒ expliquer 動 説明する
exposer /ɛkspoze/	動 ❶展示する、陳列する、説明する ❷向ける、さらす ⇒ exposé 男（研究などの）発表 ⇒ exposition 女 展覧会
améliorer /ameljɔre/	動 改善する、改良する、進歩する 代動 〈s'améliorer〉改善される、よくなる ⇒ amélioration 女 改良、回復
un **spectacle** /spɛktakl/	男 ❶光景、情景 ❷（演劇などの）ショー、興行 ⇒ spectaculaire 形 劇的な、華々しい ⇒ spectateur(trice) 名 観客、見物人

Négociations

A : Madame la directrice... voilà... ça fait trois ans que je travaille ici, je suis plutôt content de ma situation actuelle, mais j'ai eu récemment une proposition assez intéressante de la part d'une autre boîte*.

B : Je vois... en gros, vous voulez une augmentation de salaire, c'est ça ?

A : Voilà. Est-ce qu'il serait possible de parler des conditions de mon contrat** ?

補足 * boîte 女 《話》会社
      ** contrat 男 契約

交渉

A : 部長、あのー、私はここで働いて3年になります。私はどちらかと言えば現状に満足しておりますが、最近、他社からそれなりにいいオファーをいただきました。

B : なるほど…。ざっくり言えば、昇給を望んでいるということですね？

A : その通りです。契約条件についてご相談することは可能でしょうか？

POUR MON AUGMENTATION

Souvenirs d'école

Quand j'étais au collège, ma matière préférée, c'était le français. Le cours était passionnant* et j'étais toujours dans les premiers rangs pour écouter la prof**. En revanche, je ne pouvais pas supporter le cours de maths : ce qui était normal, parce que le prof était vraiment sévère avec moi. C'est pourquoi, encore aujourd'hui, je n'aime pas du tout le calcul mental***.

補足　* passionnant(e) 形 夢中にさせる
** le prof / la prof : le professeur / la professeure の略。「数学の先生」は le prof de maths、「フランス語の授業」は un cours de français というように、前置詞 de の後は無冠詞で科目名を置く
*** mental(e) 形 頭の中での、精神の

学校の思い出

　中学のとき、私の好きな科目は国語だった。ワクワクする授業で、先生の話を聞こうと、いつも前列に座ったものだった。それとは反対に、数学の授業は耐え難かった。先生が私にとても厳しかったので、嫌いになっても当然だった。それが理由で、今でも私は暗算が大嫌いだ。

241	☐☐	現在の状況	la situation <u>actuelle</u>
242	☐☐	私は全面的に賛成だ	Je suis <u>entièrement</u> d'accord.
243	☐☐	営業時間	les <u>horaires</u> d'<u>ouverture</u>
244	☐☐	文章を英語に訳す	<u>traduire</u> un texte en anglais
245	☐☐	偉大な作家	un grand <u>écrivain</u>
246	☐☐	現実と一致する	<u>correspondre</u> <u>à</u> la réalité
247	☐☐	弦楽器	les <u>instruments</u> à cordes
248	☐☐	この数値は平均を上回っている	Ce chiffre est <u>supérieur</u> <u>à</u> la moyenne.
249	☐☐	いくつかの例外を除いて	<u>sauf</u> quelques exceptions
250	☐☐	数的優位に立つ	avoir l'<u>avantage</u> du nombre
251	☐☐	ロシアの大統領との電話会談	un <u>entretien</u> téléphonique avec le président russe
252	☐☐	不審者	des <u>individus</u> suspects

actuel(le) /aktɥɛl/	形 現在の、現代の、今日的な	

actuel(le)
/aktɥɛl/
形 現在の、現代の、今日的な
★ à l'heure actuelle 現在は
⇒ actualité 女 現状、《複》ニュース
⇔ inactuel(le) 形 時代にそぐわない

entièrement
/ɑ̃tjɛrmɑ̃/
副 完全に、まったく、すっかり
⇒ entier(ère) 形 全体の、まるごと

l' **ouverture**
/uvɛrty:r/
女 ❶開けること、始めること、開場、開始
❷開き、すき間
⇔ fermeture 女 閉めること、閉鎖、閉場

traduire
/tradɥi:r/
動 ❶翻訳する、通訳する ❷表現する、示す
代動 〈se traduire〉 訳される
⇒ traduction 女 翻訳

écrivain(e)
/ekrivɛ̃,-ɛn/
名 作家、文章家
≒ auteur(e) 名 作者、作家

correspondre
/kɔrɛspɔ̃:dr/
動 ❶《à, に》対応する、一致する
❷《à, avec, と》つながっている、連絡する
⇒ correspondance 女 連絡、乗り換え
⇒ correspondant(e) 名 特派員、(手紙の) 相手

un **instrument**
/ɛ̃strymɑ̃/
男 ❶道具、器具
❷楽器 (=instrument de musique)
⇒ instrumental(e) 形 楽器の、道具として使える

supérieur(e)
/syperjœ:r/
形 ❶上の、上部の ❷上回る ❸高等の
⇔ inférieur(e) 形 下の、劣った

sauf
/sof/
前 ❶…を除いて、…は別として
❷…でない限り
★ sain et sauf 無事に

un **avantage**
/avɑ̃ta:ʒ/
男 ❶優位、有利な点 ❷利益、特権
⇒ avantageux(se) 形 有利な、うぬぼれた

un **entretien**
/ɑ̃trətjɛ̃/
男 ❶会談、会見、面接 ❷手入れ、維持
★ entretien d'embauche 就職面接
⇒ entretenir 動 手入れする、維持する

un **individu**
/ɛ̃dividy/
男 ❶個人 ❷《軽蔑的》人、奴
⇒ individuel(le) 形 個人の
⇒ individualisme 男 個人主義

253	☐☐☐ 技術の進歩	le progrès <u>technique</u>
254	☐☐☐ 誰がやったのかは まだわかっていない	L'auteur est encore <u>inconnu</u>.
255	☐☐☐ 科学雑誌	une revue <u>scientifique</u>
256	☐☐☐ 会議中に	au cours de la <u>séance</u>
257	☐☐☐ 詩を書く	<u>composer</u> un poème
258	☐☐☐ 健康的な食生活	une alimentation <u>saine</u>
259	☐☐☐ 性格がよい	avoir bon <u>caractère</u>
260	☐☐☐ ソーシャルネット ワークに投稿する	poster sur les <u>réseaux</u> sociaux
261	☐☐☐ 大統領選挙	une <u>élection</u> présidentielle
262	☐☐☐ 誰にでも欠点はある	On a tous des <u>défauts</u>.
263	☐☐☐ 内規	le <u>règlement</u> intérieur
264	☐☐☐ 戦争捕虜	un <u>prisonnier</u> de guerre

	technique /tɛknik/	形 技術的な、専門的な 女 技術、《話》こつ ⇒ technicien(ne) 名 技術者
	inconnu(e) /ɛ̃kɔny/	形 知られていない、未知の 名 知らない人、無名の人
	scientifique /sjɑ̃tifik/	形 科学的な、客観的な 名 科学者 ⇒ scientifiquement 副 科学的に
une	**séance** /seɑ̃:s/	女 ❶会議、審議 ❷上映、上演 ❸1回分の仕事［時間］
	composer /kɔ̃poze/	動 ❶組み立てる、構成する ❷書く、作曲する 代動 〈se composer de...〉 …でできている ⇒ composition 女 制作、作文、構成
	sain(e) /sɛ̃, -ɛn/	形 健康的な、傷んでいない ★ sain et sauf 無事に
un	**caractère** /karaktɛ:r/	男 ❶性格、性質、特徴 ❷文字 ⇒ caractéristique 形 特有の；女 特質
un	**réseau** /rezo/	男 ネットワーク、網 (複 réseaux)
une	**élection** /elɛksjɔ̃/	女 選挙 ⇒ électoral(e) 形 選挙の ⇒ électeur(trice) 名 有権者、選挙人
un	**défaut** /defo/	男 ❶欠点、欠陥 ❷欠如 ❸デフォルト ★ à défaut de... …がなければ
un	**règlement** /rɛgləmɑ̃/	男 ❶規定 ❷解決 ❸決済 ★ règlement de comptes （暴力による）仕返し
	prisonnier(ère) /prizɔnje, -ɛ:r/	名 囚人、捕虜 形 自由を奪われた

265	☐☐☐ はなが垂れる	avoir le nez qui <u>coule</u>
266	☐☐ 三行広告	une petite <u>annonce</u>
267	☐☐☐ 釣りに行く	aller à la <u>pêche</u>
268	☐☐ 顧客数を倍に増やす	<u>doubler</u> le nombre de clients
269	☐☐ 怒りを爆発させる	<u>laisser</u> <u>éclater</u> sa colère
270	☐☐☐ 自立した生活を送る	mener une vie <u>indépendante</u>
271	☐☐☐ 職業教育を受ける	recevoir une <u>formation</u> professionnelle
272	☐☐ 第7芸術；映画	le septième <u>art</u>
273	☐☐ 権力を行使する	<u>exercer</u> le pouvoir
274	☐☐ 国際取り引き	le <u>commerce</u> international
275	☐☐ その時間があなたの都合に合えば	si l'heure vous <u>convient</u>
276	☐☐ 元パリ市長	l'ancien <u>maire</u> de Paris

	couler /kule/	動 ❶流れる、漏れる ❷（船が）沈む、（会社が）倒産する
une	**annonce** /anɔ̃:s/	女 知らせ、広告、アナウンス ⇒ annoncer 動 知らせる ⇒ annonceur(se) 名 広告主、スポンサー
la	**pêche** /pɛʃ/	女 ❶釣り、漁業　❷《集合的》獲れた魚 ⇒ pêche 女 桃
	doubler /duble/	動 ❶2倍にする、2重にする　❷（服に） 裏をつける　❸追い抜く　❹吹き替えする ⇒ doublage 男 吹き替え
	éclater /eklate/	動 ❶破裂する、爆発する　❷響き渡る ❸勃発する 代動〈s'éclater〉夢中になって楽しむ
	indépendant(e) /ɛ̃depɑ̃dɑ̃, -ɑ̃:t/	形 ❶独立した、自立した　❷無関係の ⇒ indépendance 女 独立
la	**formation** /fɔrmasjɔ̃/	女 ❶形成、成立　❷養成、育成 ⇒ former 動 形作る、育成する
l'	**art** /a:r/	男 ❶芸術、《複》美術　❷技術、技巧 ★ arts martiaux　武術、格闘技 ⇒ artiste 名 芸術家 ⇒ artistique 形 芸術的な
	exercer /ɛgzɛrse/	動 ❶鍛える、訓練する ❷（権利を）行使する、（職務を）行う ⇒ exercice 男 練習、行使
un	**commerce** /kɔmɛrs/	男 ❶商売、取り引き　❷商店 ⇒ commerçant(e) 名 （小売りの）商人 ⇒ commercial(e) 形 商業上の
	convenir /kɔ̃vniːr/	動 《à, に》都合がよい、ふさわしい ⇒ convenable 形 適当な、礼儀正しい、 まずまずの ⇒ convenance 女 都合、《複》礼儀作法
	maire /mɛːr/	名 市長、町長、村長 ⇒ mairie 女 市役所、役場

277	☐☐☐ 山に囲まれた街	une ville <u>entourée</u> <u>de</u> montagnes
278	☐☐☐ とても高額である	coûter une <u>fortune</u>
279	☐☐☐ 群衆を追い散らす	disperser la <u>foule</u>
280	☐☐☐ 犯罪組織	une organisation <u>criminelle</u>
281	☐☐☐ 彼らは生きた状態で見つかった	Ils ont été retrouvés <u>vivants</u>.
282	☐☐☐ その小説の主要登場人物	le <u>personnage</u> principal du roman
283	☐☐☐ 身長はいくつ？	Tu <u>mesures</u> combien ?
284	☐☐☐ 追跡サービスつきの郵便物を送る	envoyer un <u>courrier</u> suivi
285	☐☐☐ ガソリンエンジン	un moteur à <u>essence</u>
286	☐☐☐ ユネスコの本部	le <u>siège</u> de l'UNESCO
287	☐☐☐ 国際会議	une <u>conférence</u> internationale
288	☐☐☐ 貴重な手助け	une aide <u>précieuse</u>

entourer /ãture/	動 囲む、取り巻く、面倒を見る ⇒ entourage 男 周囲の人たち、取り巻き
une **fortune** /fɔrtyn/	女 ❶財産 ❷運命
la **foule** /ful/	女 群衆、人混み ★ en foule どっと、大量に
criminel(le) /kriminɛl/	形 罪のある、重罪の 名 犯人、刑事犯 ⇒ crime 男 犯罪、重罪
vivant(e) /vivã, -ã:t/	形 ❶生きている ❷生き生きした ❸現用の 名 生きている人 ★ êtres vivants 男 複 生物
un **personnage** /pɛrsɔna:ʒ/	男 ❶（重要な）人物 ❷登場人物
mesurer /məzyre/	動 ❶測る、見積もる ❷長さが…である、身長が…である ❸控えめにする ⇒ mesure 女 測定、寸法、措置
un **courrier** /kurje/	男 ❶郵便物 ❷…通信、…欄 ⇒ courriel 男 e メール (=e-mail 男)
l' **essence** /esã:s/	女 ❶ガソリン ❷エキス ❸本質、エッセンス ⇒ essentiel(le) 形 本質的な；男 重要なこと
un **siège** /sjɛ:ʒ/	男 ❶椅子 ❷本部、本拠地 ★ siège social 本社
une **conférence** /kɔ̃ferã:s/	女 講演、会議 ★ conférence de presse 記者会見 ⇒ conférencier(ère) 名 講演者
précieux(se) /presjø, -ø:z/	形 貴重な、大切な、高価な ⇒ précieusement 副 大切に

289	☐☐☐ 安心しますね	Ça me <u>rassure</u>.
290	☐☐☐ 庶民的な**地区**	un quartier <u>populaire</u>
291	☐☐☐ **意見**を交換する	<u>échanger</u> des idées
292	☐☐☐ 海に飛び込む	<u>plonger</u> dans la mer
293	☐☐☐ その**問題**を提起する	<u>soulever</u> la question
294	☐☐☐ 鮮やかな**赤色**	un rouge <u>vif</u>
295	☐☐☐ 注意を引く	<u>attirer</u> l'attention
296	☐☐☐ 筆記試験	une <u>épreuve</u> écrite
297	☐☐☐ 保険が損害を補償する	L'<u>assurance</u> couvre les dommages.
298	☐☐☐ その**決定**の動機	le <u>motif</u> de cette décision
299	☐☐☐ 新しい科学技術	une nouvelle <u>technologie</u>
300	☐☐☐ この言い回しは知らなかった	Je ne connaissais pas cette <u>expression</u>.

	rassurer /rasyre/	動 安心させる 代動 〈se rassurer〉 安心する ⇒ rassurant(e) 形 安心させる
	populaire /pɔpylɛːr/	形 庶民の、人気のある ⇒ popularité 女 人気、知名度
	échanger /eʃɑ̃ʒe/	動 交換する、取り替える ⇒ échange 男 交換、交易
	plonger /plɔ̃ʒe/	動 ❶（水に）飛び込む、潜水する ❷突っ込む、つける 代動 〈se plonger〉 ❶浸る、潜る、飛び込む ❷没頭する
	soulever /sulve/	動 ❶持ち上げる ❷舞い上げる、巻き起こす ❸（問題を）提起する 代動 〈se soulever〉起き上がる、 反乱を起こす
	vif, vive /vif, viːv/	形 ❶活発な、生き生きした ❷鮮やかな、強烈な ★ connaître un vif succès 大成功する
	attirer /atire/	動 引きつける、魅了する ⇒ attirant(e) 形 魅力的な
une	**épreuve** /eprœːv/	女 ❶テスト、試験、実験 ❷試練 ❸競技、試合 ⇒ éprouver 動 感じる、試す
une	**assurance** /asyrɑ̃ːs/	女 ❶保険 ❷保証 ❸自信、安心 ⇒ assurer 動 断言する、保証する
un	**motif** /mɔtif/	男 ❶動機、理由 ❷モチーフ、模様、主題 ⇒ motiver 動 原因となる、やる気にさせる
la	**technologie** /tɛknɔlɔʒi/	女 科学技術、工学 ⇒ technologique 形 科学技術の、工学の
une	**expression** /ɛksprɛsjɔ̃/	女 ❶表現、言い回し ❷表情

Les cours de langue en ligne

A : Tu étudies toujours le français ?

B : Oui, j'ai des cours particuliers en ligne avec un professeur canadien. On échange régulièrement en français sur Internet et cela me convient bien. Surtout, je n'ai pas de temps de transport !

A : Pour moi, les nouvelles technologies, c'est trop compliqué : les ordinateurs, le réseau wi-fi... Je préfère des cours en classe.

B : Je comprends. Moi aussi, parfois, j'ai des problèmes techniques. Et puis l'avantage des cours classiques, c'est le côté humain !

オンラインの語学レッスン

A：今もフランス語を勉強しているの？

B：うん、カナダ人の先生の個人レッスンをオンラインで受けているの。ネット上で定期的にフランス語で話しているんだけど、それが私にはよく合っているんだ。なんと言っても、移動の時間がないの！

A：パソコンや wifi とか、新しい技術は僕にとって複雑すぎる。教室での授業のほうがいいな。

B：わかる。私もときどき、技術的なことでトラブルが起きるの。それに、伝統的な授業の長所は、人間的な側面にあるんだよね！

Edouard Manet

Manet est connu pour son caractère indépendant. Alors qu'il apprend à peindre dans l'atelier de Thomas Couture, il se dispute plusieurs fois avec son maître, car il veut absolument peindre des motifs ou des personnages de la manière la plus naturelle possible. Plus tard, il est attiré par l'art espagnol, notamment par le réalisme des tableaux de Vélasquez et de Goya, mais continue à garder son propre style.

補足 この文章全体で、動詞は直説法現在形に統一している。このように、過去の出来事を生き生きと描写するため、歴史的現在（présent historique）と呼ばれる表現方法を使うことがある

エドゥアール・マネ

　マネは自立心が強い性格で知られている。トマ・クチュールのアトリエで絵画を学んでいたとき、マネは師匠と何度も対立した。というのも、彼はモチーフや人物を可能な限り自然に描きたいと強く思っていたからである。後になって、スペイン芸術、特にベラスケスやゴヤの絵の写実性に魅せられたが、彼は自身のスタイルを守り続けた。

中性代名詞：en, le, y

> A : Tu veux un chocolat ?
>
> B : Non, merci. Tu sais bien que je n'<u>en</u> mange jamais parce que j'<u>y</u> suis allergique.
>
> A : Ah oui, c'est vrai, tu me l'avais dit l'autre jour.

> A : チョコレート食べる？
>
> B : いや、要らないよ。アレルギーがあるから絶対に食べないって知っているだろ？
>
> A : 確かにそうだった。この前そんなことを言っていたね。

ポイント1　中性代名詞 en

①「不定冠詞、部分冠詞、数量表現＋名詞」の代わり

中性代名詞 en は、基本的に「不定冠詞、部分冠詞、数量表現＋名詞」のようなまとまりの代わりに用いられ、関係している動詞の前に置かれます。上の会話では、en は de chocolats の代わりとなっていて、もともとの否定文は je ne mange jamais de chocolats です。肯定文の場合、je mange des chocolats が j'en mange に変化します。ちなみに、trois といった数詞や beaucoup といった分量副詞がある場合、動詞の後に置きます。

> 例：Je mange <u>trois</u> chocolats. → J'<u>en</u> mange trois.
>
> 　　Je mange <u>beaucoup de</u> chocolats. → J'<u>en</u> mange beaucoup.

②「前置詞 de ＋～」の代わり

前置詞 de で始まって、そのあとに物や事柄を表す名詞、代名詞、不定詞や節がある場合、その全体を中性代名詞 en で置き換えることも可能です。前置詞 de を伴う動詞や形容詞があるときに、この中性代名詞 en を使います。

> 例：J'ai besoin <u>de chocolats</u>. → J'<u>en</u> ai besoin.
>
> 　　J'ai envie de <u>manger des chocolats</u>. → J'<u>en</u> ai envie.
>
> 　　Je suis content <u>de manger des chocolats</u>. → J'<u>en</u> suis content.

ただし、人が対象となっているときは、「前置詞 de ＋強勢形」となりますので、気をつけましょう。

> 例：J'ai besoin <u>d'elle</u>.　　彼女が必要だ。
>
> 　　Je suis content <u>de cet élève</u>. → Je suis content <u>de lui</u>.
>
> 　　　　　　　　　　　この生徒（の出来）に満足している。

③「前置詞 de ＋場所」の代わり

もう一つ中性代名詞 en の用法として、「…から」と場所を表す前置詞 de と場所のセットを受けることもできます。

Je viens <u>de la boulangerie</u>. → J'<u>en</u> viens.

ポイント2　中性代名詞 le

中性代名詞 le は、会話の中で話し手と聞き手の両方が認識している事柄を指すときに使います。**tu me l'avais dit** の **l'** は、その前のセリフ全体で述べられた事実、すなわち「チョコレートをまったく食べず、アレルギーがあること」を指しています。

ポイント3　中性代名詞 y

中性代名詞 y は基本的に **à, chez, dans, en** などといった前置詞を伴った空間を表す表現を置き換えるために使われます。他方、**j'y suis allergique** の y は、**aux chocolats** を指しています。これは、**allergique** という形容詞が前置詞 **à** を介してその対象を述べるためです。

注意が必要なのは、**penser à** などといった前置詞 **à** を伴った動詞句です。例えば、「それについては考えていなかった」は抽象的な事柄を話題にしているので **je n'y ai pas pensé** (= je n'avais pas pensé à cela) と言えますが、「彼のことを常に考えている」は人間・生き物を対象としているので、**je pense toujours <u>à lui</u>** と「前置詞＋強勢形」を用います。

練習問題　和訳に合うように、適切な代名詞 (en, le, y) を入れましょう。

1) Je ne ＿＿ savais pas !　そのことは知らなかったよ！
2) Tu vas au concert ? — Non, je n' ＿＿ vais pas.
コンサート行くの？一行かないよ。
3) C'est un livre que j'aime bien. J' ＿＿ parle souvent dans mes cours.
この本が好きです。授業の中でよく話題にします。
4) Quelle superbe idée ! Je n' ＿＿ avais pas pensé.
なんて素晴らしいアイデア！ 私には思いつかなかったよ。
5) Tu as du liquide ? — Oui, j' ＿＿ ai.　現金ある？一あるよ。
6) Je ＿＿ dirai au professeur !　このことを先生に言いつけてやる！

(答えは 189 ページ)

301	☐☐☐ 車は右側を通行する	Les voitures <u>circulent</u> à droite.
302	☐☐☐ 体調	la condition <u>physique</u>
303	☐☐☐ 成長率	le <u>taux</u> de croissance
304	☐☐☐ あの映画には がっかりした	Le film m'<u>a déçu</u>.
305	☐☐☐ 法に従う	<u>obéir à</u> la loi
306	☐☐☐ 現実とフィクション を区別する	<u>distinguer</u> le réel <u>de</u> la fiction
307	☐☐☐ 退職者年金を 受け取る	toucher une <u>pension</u> de retraite
308	☐☐☐ 本を読みながら 寝入る	s'<u>endormir</u> en lisant un livre
309	☐☐☐ 目下調査中だ	Une étude est <u>actuellement</u> en cours.
310	☐☐☐ 結論を引き出す	tirer des <u>conclusions</u>
311	☐☐☐ 彼を説得することが できない	Je n'arrive pas à le <u>persuader</u>.
312	☐☐☐ そのテーマについて 書く	écrire sur ce <u>sujet</u>

	circuler /sirkyle/	動 ❶通行する、往来する　❷循環する ❸（うわさが）流布する ⇒ circulation 女 交通（量）、循環
	physique /fizik/	形 ❶体の　❷物質の、物理的な 男 ❶肉体、身体　❷容姿 女 物理学
un	**taux** /to/	男 率、割合 ★ taux de change　為替レート ★ taux d'intérêt　利率
	décevoir /dɛsvwa:r/	動 失望させる ⇒ déception 女 失望、落胆
	obéir /ɔbei:r/	動 ❶《à, に》従う、服従する ❷正しく作動する ⇒ obéissance 女 服従 ⇒ obéissant(e) 形 従順な
	distinguer /distɛ̃ge/	動 区別する、識別する ⇒ distinction 女 区別、気品
une	**pension** /pɑ̃sjɔ̃/	女 ❶年金、手当て　❷寄宿学校、下宿 ⇒ pensionnaire 名 下宿人
	endormir /ɑ̃dɔrmi:r/	代動 〈s'endormir〉眠り込む、寝つく 動 ❶眠らせる　❷退屈させる　❸和らげる
	actuellement /aktɥɛlmɑ̃/	副 現在、目下 ⇒ actuel(le) 形 現在の、現代の
une	**conclusion** /kɔ̃klyzjɔ̃/	女 ❶結論、結末　❷締結 ★ en conclusion　結論として ⇒ conclure 動 取り決める、締めくくる ⇒ concluant(e) 形 決定的な
	persuader /pɛrsɥade/	動 説得する、納得させる 代動 〈se persuader〉信じ込む ⇒ persuasif(ve) 形 説得力のある
un	**sujet** /syʒɛ/	男 ❶主題、話題、テーマ　❷原因　❸主語 ★ au sujet de...　…に関して

313	☐ 自然にほほえむ ☐ ようにする	essayer de sourire <u>naturellement</u>
314	☐ 道具箱 ☐	une boîte à <u>outils</u>
315	☐ 患者の容体 ☐	l'état du <u>patient</u>
316	☐ 歴史的記念建造物 ☐	un monument <u>historique</u>
317	☐ 自然災害 ☐	une <u>catastrophe</u> naturelle
318	☐ 教育は最優先課題の ☐ ひとつだ ☐	L'éducation est une <u>priorité</u>.
319	☐ 失業中である ☐	être <u>au</u> <u>chômage</u>
320	☐ 組合がストを ☐ 呼びかける	Les <u>syndicats</u> appellent à la grève.
321	☐ 服を裏返しに着る ☐	mettre un vêtement <u>à</u> l'<u>envers</u>
322	☐ 子供に読書する ☐ ように励ます ☐	<u>encourager</u> les enfants <u>à</u> lire
323	☐ 証言を集める ☐	recueillir des <u>témoignages</u>
324	☐ 正装で ☐	en <u>tenue</u> correcte

naturellement /natyrɛlmɑ̃/	副 ❶自然に、生まれつき ❷もちろん、当然 ⇒ nature 女 自然、性質 ⇒ naturel(le) 形 自然の、生まれつきの
un **outil** /uti/	男 道具、工具、必要なもの ⇒ outillage 男 道具一式、機械設備
patient(e) /pasjɑ̃, -ɑ̃:t/	名 患者 形 我慢強い、忍耐を要する ⇔ impatient(e) 形 待ちきれない
historique /istɔrik/	形 歴史の、歴史的な ⇒ historiquement 副 歴史的に
une **catastrophe** /katastrɔf/	女 大惨事、災難、《話》困ったこと →《略》cata 女 ⇒ catastrophique 形 悲惨な
la **priorité** /prijɔrite/	女 優先、優先課題 ★ en priorité 優先的に
le **chômage** /ʃoma:ʒ/	男 失業 ⇒ chômeur(se) 名 失業者
un **syndicat** /sɛ̃dika/	男 労働組合、(同業者) 組合 ⇒ syndical(e) 形 組合の
l' **envers** /ɑ̃vɛ:r/	男 裏、裏面、裏側 ★ à l'envers 裏返しに (⇔ à l'endroit)
encourager /ɑ̃kuraʒe/	動 勇気づける、元気づける、奨励する ★ encourager A à 不定詞 …するように A を励ます ⇒ encouragement 男 励まし
un **témoignage** /temwaɲa:ʒ/	男 ❶証言 ❷証拠、しるし ❸記録 ⇒ témoigner 動 証言する
une **tenue** /t(ə)ny/	女 ❶服装、身なり ❷行儀、品位 ❸維持、管理

325	☐☐☐ 間違いを直す	<u>corriger</u> les erreurs
326	☐☐☐ 2000万トンの小麦	vingt millions de <u>tonnes</u> de blé
327	☐☐☐ 家族手当	les allocations <u>familiales</u>
328	☐☐☐ 最近の映画	un film <u>récent</u>
329	☐☐☐ 1週間あたり 2日の休みがある	avoir deux jours de <u>repos</u> par semaine
330	☐☐☐ 普遍的なテーマ	un <u>thème</u> universel
331	☐☐☐ 主な目的	le but <u>principal</u>
332	☐☐☐ アメリカ合衆国 代議院	la Chambre des <u>représentants</u> des Etats-Unis
333	☐☐☐ 3日の期限以内に	dans un <u>délai</u> de trois jours
334	☐☐☐ 総予算	le <u>budget</u> total
335	☐☐☐ 活発なメンバー	un membre <u>actif</u>
336	☐☐☐ ビラを配る	<u>distribuer</u> des tracts

	corriger /kɔriʒe/	動 訂正する、直す、添削する ⇒ correction 女 訂正、添削 ⇒ corrigé 男 模範解答
une	**tonne** /tɔn/	女 トン ⇒ kilogramme 男 キログラム ⇒ gramme 男 グラム
	familial(e) /familjal/	形 家族の、家庭の (男 複 *familiaux*) ⇒ se familiariser 代動 《avec, に》慣れる、親 しくなる
	récent(e) /resɑ̃, -ɑ̃:t/	形 最近の、できたばかりの ⇒ récemment 副 つい最近
le	**repos** /r(ə)po/	男 ❶休憩、休息 ❷安らぎ ❸停止 ⇒ reposer 動 休ませる
un	**thème** /tɛm/	男 ❶主題、テーマ ❷ (母国語から外国語への) 翻訳練習 ⇔ version 女 (外国語から母国語への) 翻訳練習
	principal(e) /prɛ̃sipal/	形 主要な、主な 男 重要なこと 名 ❶ (collège の) 校長 ❷主要な人物 (男 複 *principaux*)
	représentant(e) /r(ə)prezɑ̃tɑ̃, -ɑ̃:t/	名 ❶代表者、代理人 ❷セールスマン ⇒ représenter 動 表す、象徴する、代表する
un	**délai** /delɛ/	男 期限、期日 ★ sans délai 直ちに
un	**budget** /bydʒɛ/	男 予算、家計、収支 ⇒ budgétaire 形 予算の
	actif(ve) /aktif, -i:v/	形 ❶活発な、活動的な ❷効能のある ❸ 《文法》能動の ⇒ activité 女 活動、仕事
	distribuer /distribɥe/	動 ❶配る、供給する ❷割り当てる ⇒ distribution 女 分配

79

337	☐☐☐ ゆっくり確実に進む	avancer <u>lentement</u> mais sûrement
338	☐☐☐ 我慢強い	avoir de la <u>patience</u>
339	☐☐☐ 効果的に	de manière <u>efficace</u>
340	☐☐☐ ここ数年の間	<u>durant</u> ces dernières années
341	☐☐☐ せりふのないシーン	une scène sans <u>dialogue</u>
342	☐☐☐ この件についてまたご連絡します	Je vous tiens <u>au courant</u>.
343	☐☐☐ 証人として話す	être entendu comme <u>témoin</u>
344	☐☐☐ その車両の運転手	le conducteur du <u>véhicule</u>
345	☐☐☐ プロのサッカー選手	un joueur <u>professionnel</u> de football
346	☐☐☐ 軍事基地	une base <u>militaire</u>
347	☐☐☐ その問題に強い関心を寄せる	<u>se pencher sur</u> la question
348	☐☐☐ あまり選択肢がない	Il <u>n'</u>y a <u>guère</u> de choix.

lentement /lãtmã/	副 ゆっくりと ⇒ lent(e) 形 遅い、ゆっくりした
la **patience** /pasjãːs/	女 忍耐、我慢 ⇒ patienter 動 (辛抱強く) 待つ
efficace /efikas/	形 有効な、能率的な ⇒ efficacité 女 効力、効率
durant /dyrã/	前 …の間中、…を通して ⇒ durer 動 続く ⇒ durable 形 長続きする
un **dialogue** /djalɔg/	男 対話、話し合い、せりふ ⇒ dialoguer 動 対話する
un **courant** /kurã/	男 ❶流れ、電流　❷風潮 ★ tenir A au courant (de B) (Bについて) A に知らせる
un **témoin** /temwɛ̃/	男 ❶目撃者、証人　❷証拠となるもの ⇒ témoignage 男 証言 ⇒ témoigner 動 証言する
un **véhicule** /veikyl/	男 ❶車両、乗り物 ❷伝達手段
professionnel(le) /prɔfɛsjɔnɛl/	形 職業の、プロの 名 プロ、専門家 ⇔ amateur(trice) 形 素人の、愛好家の 　　　　　　　　名 アマチュア、愛好家
militaire /militɛːr/	形 軍事的な、軍隊の 名 軍人
pencher /pãʃe/	代動 〈se pencher〉❶身をかがめる ❷《sur, に》強い関心を寄せる 動 ❶《助動詞は avoir》傾ける ❷《助動詞は être》傾く
guère /gɛːr/	副 〈ne... guère〉ほとんど…ない、 あまり…ない

349	☐☐ 深さ2メートルの プール	une piscine de deux mètres de <u>profondeur</u>
350	☐☐ 権力の象徴	le <u>symbole</u> du pouvoir
351	☐☐ 新しいシステムを 導入する	<u>introduire</u> un nouveau système
352	☐☐ 宗教儀式	une cérémonie <u>religieuse</u>
353	☐☐ 医者に診てもらう	<u>consulter</u> un médecin
354	☐☐ 新しい建物の建築	la <u>construction</u> d'un nouveau bâtiment
355	☐☐ 奨学金を もらっている	avoir une <u>bourse</u>
356	☐☐ はしごから落ちる	tomber d'une <u>échelle</u>
357	☐☐ 計画に賛同する	<u>approuver</u> le plan
358	☐☐ 大事なのは 参加することだ	L'<u>essentiel</u>, c'est de participer.
359	☐☐ 乗客を運ぶ	<u>transporter</u> des passagers
360	☐☐ 新型のパソコン	un nouveau <u>modèle</u> d'ordinateur

la **profondeur** /prɔfɔ̃dœ:r/	女 深さ、奥行き ★ en profondeur 深く、根本的な ⇒ profond(e) 形 深い
un **symbole** /sɛ̃bɔl/	男 ❶象徴、シンボル ❷記号 ⇒ symbolique 形 象徴的な、記号による ⇒ symboliser 動 象徴する
introduire /ɛ̃trɔdɥi:r/	動 ❶（場所に人を）招き入れる、紹介する ❷導入する ❸差し込む 代動〈s'introduire〉入り込む、忍び込む
religieux(se) /r(ə)liʒjø, -jø:z/	形 宗教の、信心深い 名 修道士、修道女 ⇒ religion 女 宗教、信仰
consulter /kɔ̃sylte/	動 ❶相談する ❷調べる、参照する ⇒ consultation 女 相談、参照、診察
la **construction** /kɔ̃stryksjɔ̃/	女 ❶建築、建築産業、建造物 ❷構造 ⇒ construire 動 建築する ⇒ reconstruction 女 再建、復興、復元
une **bourse** /burs/	女 ❶奨学金 ❷〈la Bourse〉証券取引所、株式市場 ⇒ boursier(ère) 名 奨学生、株式仲買人
une **échelle** /eʃɛl/	女 ❶はしご ❷規模、縮尺 ❸等級、階層 ★ à grande échelle 大規模に
approuver /apruve/	動 賛成する、同意する ⇒ approbation 女 賛成、同意
l' **essentiel** /esɑ̃sjɛl/	男 重要なこと、要点 形〈essentiel(le)〉本質的な、必要不可欠な ⇒ essence 女 ガソリン、エキス、エッセンス
transporter /trɑ̃spɔrte/	動 運ぶ、輸送する 代動〈se transporter〉赴く、行く ⇒ transport 男 輸送、交通機関
un **modèle** /mɔdɛl/	男 ❶型、タイプ ❷手本、典型、題材

Après avoir vu un film...

A : Oh là là... c'était ennuyant ! Je me suis endormi durant la deuxième partie du film !

B : Je te trouve sévère. Les dialogues étaient parfois un peu longs, mais le sujet est intéressant, non ?

A : Je ne critique pas le thème du film : la question des inégalités sociales est importante. C'est juste que j'ai été vraiment déçu par le jeu des acteurs !

映画を見た後

A : あーあ、つまんなかった！ 映画の後半で寝ちゃったよ。

B : 君は辛口だよね。少し長い会話はときどきあったけど、テーマ自体は面白かったよね？

A : テーマは批判してないよ。だって、社会的格差の問題は重要だからね。ただ単に、俳優たちの演技にとてもがっかりさせられただけだよ。

La Cité de Carcassonne

La Cité de Carcassonne est plus qu'un monument : c'est toute une ville médiévale* qu'on peut admirer, encore aujourd'hui. Il s'agit d'un témoin historique des guerres religieuses du Moyen Âge**, mais aussi un modèle de construction militaire. Essentielle pour comprendre l'histoire de l'architecture en France, elle a été inscrite au patrimoine mondial de l'UNESCO en 1997.

補足 　＊ médiéval(e) 形 中世の
　　　＊＊ Moyen Âge 男 中世。ローマ帝国の没落（476 年）から東ローマ帝国の滅亡（1453 年）までの時代を指すことが多い。なお、形容詞と名詞の語順に注意が必要で、un homme d'âge moyen は「中年男性」の意味になる

カルカッソンヌの街

　カルカッソンヌの街は歴史的建造物を超える存在である。まさに中世の都市そのものを今日でも観ることができる。中世における宗教戦争を今に伝える歴史的な証しであるだけでなく、典型的な軍事建造物でもある。フランスの建築史を理解するうえで極めて重要なカルカッソンヌの街は、1997 年にユネスコの世界遺産に登録された。

361	☐☐☐ その土地の**特産品**	des produits <u>locaux</u>
362	☐☐☐ クラスを２つの グループに**分ける**	<u>diviser</u> la classe en deux groupes
363	☐☐☐ １か月という **期間**にわたって	pendant une <u>durée</u> d'un mois
364	☐☐ **歴史的な出来事**	un <u>événement</u> historique
365	☐☐☐ **大量**に生産する	produire en grande <u>quantité</u>
366	☐☐☐ **師匠**とその弟子	le <u>maître</u> et son disciple
367	☐☐☐ **数学**がまったく できない	être <u>nul</u> en maths
368	☐☐ **海**で水浴びをする	<u>se</u> <u>baigner</u> dans la mer
369	☐☐☐ **高級官僚**	un haut <u>fonctionnaire</u>
370	☐☐ **クラシック音楽**	la musique <u>classique</u>
371	☐☐☐ **恒常的に**	de façon <u>permanente</u>
372	☐☐☐ モロッコチームの **勝利**	la <u>victoire</u> de l'équipe du Maroc

	local(e) /lɔkal/	形 ❶地方の、地域的な　❷局地的な 男 （建物内の特定の）場所 (複 locaux)
	diviser /divize/	動 分ける、分割する、割る ⇒ division 女 分割、割り算
une	**durée** /dyre/	女 期間 ★ courte [longue] durée　短 [長] 期間 ⇒ durer 動 続く ⇒ durable 形 長続きする
un	**événement** /evɛnmɑ̃/	男 出来事、事件 ＊ évènement とも綴る
la	**quantité** /kɑ̃tite/	女 量、数量 ⇔ qualité 女 質
	maître(sse) /mɛtr, -trɛs/	名 ❶主人、支配者、飼い主　❷先生 ❸巨匠、師 女 〈maîtresse〉愛人（女性） ⇒ amant(e) 名 愛人
	nul(le) /nyl/	形 ❶無の、ゼロの　❷無能な、無価値の ❸引き分けの ★ nulle part　どこにも（…ない）
	baigner /beɲe/	代動 〈se baigner〉水浴びをする、泳ぐ 動 水浴させる、つける、つかる ⇒ baignoire 女 浴槽
	fonctionnaire /fɔ̃ksjɔnɛːr/	名 公務員、官僚 ⇒ fonction 女 職務、機能
	classique /klasik/	形 古典的な、伝統的な
	permanent(e) /pɛrmanɑ̃, -ɑ̃ːt/	形 永続的な、いつまでも変わらない ⇒ permanente 女 パーマ
une	**victoire** /viktwaːr/	女 勝利、勝利の女神 ⇔ défaite 女 敗北、失敗

373	☐☐☐ ガラス越しに	derrière une <u>vitre</u>
374	☐☐☐ プラスの影響	un impact <u>positif</u>
375	☐☐☐ 総会	l'<u>assemblée</u> générale
376	☐☐☐ 年間予算	le budget <u>annuel</u>
377	☐☐☐ 悲劇のヒロイン	une <u>héroïne</u> tragique
378	☐☐☐ 警察による捜査	une enquête <u>policière</u>
379	☐☐☐ 外務大臣	le <u>ministre</u> des Affaires étrangères
380	☐☐☐ タバコの販売を禁止する	<u>interdire</u> la vente de tabac
381	☐☐☐ 残業する	faire des <u>heures</u> <u>supplémentaires</u>
382	☐☐☐ 貧困の中で生きる	vivre dans la <u>pauvreté</u>
383	☐☐☐ 費用の削減	la <u>réduction</u> des coûts
384	☐☐☐ 定期的に	de façon <u>régulière</u>

une **vitre** /vitr/	女 （窓などの）ガラス ⇒ vitrine 女 ショーウインドー、ガラスケース
positif(ve) /pozitif, -iːv/	形 ❶肯定の　❷正の、陽性の　❸現実的な ⇔ négatif(ve) 形 否定の、負の、陰性の
une **assemblée** /asɑ̃ble/	女 集まり、集会、議会 ⇒ assembler 動 集める
annuel(le) /anɥɛl/	形 年に1度の、1年間の ⇒ hebdomadaire 形 週に1度の ⇒ mensuel(le) 形 月に1度の
une **héroïne** /erɔin/	女 女性の英雄、女主人公 ＊男性は héros 男
policier(ère) /pɔlisje, -ɛːr/	形 警察の、犯罪捜査を扱った 名 警察官 ≒ flic 名 《話》おまわり、でか
ministre /ministr/	名 大臣 ★ premier ministre　首相 ⇒ ministère 男 省庁、内閣、閣僚
interdire /ɛ̃tɛrdiːr/	動 禁止する ⇒ interdiction 女 禁止 ⇒ interdit(e) 形 禁じられた
supplémentaire /syplemɑ̃tɛːr/	形 追加の ⇒ supplément 男 追加、補足
la **pauvreté** /povrəte/	女 貧困、貧しさ ⇒ pauvre 形 貧しい
une **réduction** /redyksjɔ̃/	女 ❶削減、減少　❷値引き ⇒ réduire 動 減らす
régulier(ère) /regylje, -ɛːr/	形 ❶規則正しい、定期的な　❷正規の ❸整った ⇒ régulièrement 副 規則正しく、定期的に

385	☐☐☐	様々な理由で	pour <u>diverses</u> raisons
386	☐☐☐	即時停戦を求める	réclamer un cessez-le-feu <u>immédiat</u>
387	☐☐☐	ノンアルコールの飲み物	une boisson sans <u>alcool</u>
388	☐☐☐	招待客リスト	la liste des <u>invités</u>
389	☐☐☐	実際の状況に気づく	se rendre compte de la situation <u>réelle</u>
390	☐☐☐	きちんとした服装	une tenue <u>convenable</u>
391	☐☐☐	成人男性	un homme <u>adulte</u>
392	☐☐☐	特例措置をとる	prendre des mesures <u>exceptionnelles</u>
393	☐☐☐	外国人の学生を受け入れる	<u>accueillir</u> des étudiants étrangers
394	☐☐☐	ブランドの宣伝をする	faire de la <u>publicité</u> pour la marque
395	☐☐☐	この文章の真の意味	le <u>véritable</u> sens de cette phrase
396	☐☐☐	フェアプレイの重要性を強調する	<u>souligner</u> l'importance du fair-play

divers(e) /divɛːr, -ɛrs/	形 様々な、異なる ⇒ diversité 女 多様性
immédiat(e) /imedja, -at/	形 即時の ⇒ immédiatement 副 すぐに
l' **alcool** /alkɔl/	男 アルコール、アルコール飲料 ⇒ alcoolique 形 アルコール中毒の 　　　　　　名 アルコール中毒者 ＊アルコール飲料は une boisson alcoolisée とも 言う
invité(e) /ɛ̃vite/	名 招待客、客 形 招待された ⇒ invitation 女 招待、勧誘
réel(le) /reɛl/	形 現実の、実在の、本当の ⇒ réellement 副 現実に、本当に ⇒ réalité 女 現実
convenable /kɔ̃vnabl/	形 ❶適当な、ふさわしい 　❷礼儀正しい　❸《話》まずまずの
adulte /adylt/	形 大人の、成長した 名 成人 ⇒ adolescent(e) 名 青少年；形 青春期の
exceptionnel(le) /ɛksɛpsjɔnɛl/	形 例外的な、並外れた、まれに見る ⇒ exception 女 例外
accueillir /akœjiːr/	動 迎える、受け入れる、泊める ⇒ accueil 男 受け入れ、受付
une **publicité** /pyblisite/	女 広告、宣伝 → 《略》pub 女 ⇒ publicitaire 形 広告の、宣伝の
véritable /veritabl/	形 本当の、実際の、本物の ⇒ véritablement 副 本当に ⇒ vérité 女 本当のこと、事実
souligner /suliɲe/	動 下線を引く、強調する、目立たせる ⇒ surligner 動 蛍光ペンでマークする ⇒ surligneur 男 蛍光ペン

397	☐☐☐ 自動販売機	un distributeur <u>automatique</u>
398	☐☐☐ 5％増だ	être <u>en</u> <u>hausse</u> de cinq pour cent
399	☐☐☐ 与党を非難する	<u>critiquer</u> la majorité
400	☐☐☐ 手取り	le salaire <u>net</u>
401	☐☐☐ そういうことではないんだ	<u>Il</u> ne <u>s'agit</u> pas <u>de</u> ça.
402	☐☐☐ メンバーの全リスト	la liste <u>complète</u> des membres
403	☐☐☐ 自分の利益を守る	<u>défendre</u> ses intérêts
404	☐☐☐ 事務用品	le <u>matériel</u> de bureau
405	☐☐☐ ラテンアメリカ	l'Amérique <u>latine</u>
406	☐☐☐ 最貧困のなかで生きる	vivre dans l'<u>extrême</u> pauvreté
407	☐☐☐ 私の決心は固い	Ma décision est <u>ferme</u>.
408	☐☐☐ 季節によって価格が変わる	Les prix <u>varient</u> selon la saison.

automatique /ɔtɔmatik/	形 ❶自動の ❷無意識の ⇒ automatiquement 副 自動的に、無意識に	
une †**hausse** /oːs/	女 上昇、値上がり ⇔ baisse 女 低下、値下がり	
critiquer /kritike/	動 非難する、批評する ⇒ critique 女 批判；名 批評家	
net(te) /nɛt/	形 ❶はっきりした、明瞭な ❷正味の (⇔ brut(e)) ❸清潔な ⇒ nettement 副 はっきりと、明らかに	
agir /aʒiːr/	代動 〈il s'agit de...〉 …が問題だ、…に関することである 動 ❶行動する、振る舞う ❷作用する	
complet(ète) /kɔ̃plɛ, -ɛt/	形 ❶完全な、全部そろった ❷満員の ⇒ complètement 副 完全に	
défendre /defɑ̃ːdr/	動 ❶守る、弁護する ❷禁止する 代動 〈se défendre〉 ❶身を守る ❷差し控える	
le **matériel** /materjɛl/	男 設備、機材、用具 形 〈matériel(le)〉 物理的な、実際上の、物質的な	
latin(e) /latɛ̃, -in/	形 古代ローマの、ラテンの 男 ラテン語 ★ Quartier latin カルチエ・ラタン《パリの学生街》	
extrême /ɛkstrɛm/	形 極端な、過激な、末端の ★ l'extrême droite 女 極右 ⇒ extrêmement 副 極めて	
ferme /fɛrm/	形 固い、断固とした、しっかりした ⇒ fermeté 女 強さ、毅然とした態度、固さ	
varier /varje/	動 変わる、変化する、変化をつける ⇒ variable 形 変わりやすい	

409	□□□ 検索エンジン	un <u>moteur</u> de recherche
410	□□ 長さを測る	mesurer la <u>longueur</u>
411	□□ それでは 筋が通らない	Ce n'est pas <u>logique</u>.
412	□□ ビルの管理人	un <u>gardien</u> d'immeuble
413	□□ 健康に 負の影響がある	avoir un effet <u>négatif</u> sur la santé
414	□□ 戦争反対のデモ	une <u>manifestation</u> contre la guerre
415	□□ 原文	le texte <u>original</u>
416	□□ 普通の生活を送る	mener une vie <u>ordinaire</u>
417	□□ 西洋文明	la <u>civilisation</u> occidentale
418	□□ 最初のステップ	la première <u>étape</u>
419	□□□ 君のことを 心配している	Je suis <u>inquiet</u> <u>pour</u> toi.
420	□□□ 他の手段を見つける	trouver d'autres <u>moyens</u>

un **moteur** /mɔtœːr/	男 エンジン、モーター、発動機
la **longueur** /lɔ̃gœːr/	女 ❶長さ ❷縦 ❸遅さ ★ à longueur de journée 一日中 ⇒ long(ue) 形 長い
logique /lɔʒik/	形 論理的な、当然の 女 論理、論理学 ⇒ logiquement 副 論理的に
gardien(ne) /gardjɛ̃, -ɛn/	名 守衛、管理人 ★ gardien de but ゴールキーパー
négatif(ve) /negatif, -iːv/	形 否定の、消極的な、負の ⇔ positif(ve) 形 確実な、肯定の、正の
une **manifestation** /manifɛstasjɔ̃/	女 ❶デモ ❷《複》行事、催し ❸表明、表れ ⇒ manifester 動 表明する、(感情を) あらわに する、デモをする
original(e) /ɔriʒinal/	形 ❶もとの、オリジナルの ❷個性的な (男 複 originaux) ⇒ originalité 女 独創性
ordinaire /ɔrdinɛːr/	形 普通の、通常の、平凡な 男 普通の水準、月並み ⇒ ordinairement 副 普通、一般に、概して
une **civilisation** /sivilizasjɔ̃/	女 文明、文化 ⇒ civiliser 動 文明化する ⇒ civil(e) 形 市民の、民間 (人) の、世俗の
une **étape** /etap/	女 ❶段階 ❷区間 ★ faire étape à... …にちょっと立ち寄る
inquiet(ète) /ɛ̃kjɛ, -ɛt/	形 心配な、不安な ⇒ s'inquiéter 代動 心配する ⇒ inquiétude 女 心配、不安
un **moyen** /mwajɛ̃/	男 ❶手段、方法 ❷《複》財力、才能

Le Tour de France

A : Allez, il ne reste plus que cinq cent mètres...

B : Et c'est l'arrivée de Paolo Tino, accueilli par les applaudissements du public, avenue des Champs-Elysées* ! Victoire de l'Italien pour cette dernière étape du Tour de France !

A : Il a été exceptionnel : maillot jaune** du début à la fin ! C'est un véritable événement dans l'histoire du Tour.

> 補足　* « ..., avenue des Champs-Elysées » : 通り名で場所を示す場合、前置詞や冠詞を省略することがある
>
> 　　　例 : J'habite (dans la) rue Bonaparte. 私はボナパルト通りに住んでいる
> 　　**maillot jaune 男 ツール・ド・フランスにおいて個人総合1位の選手のみ着ることが許される、名誉あるイエロージャージ

ツール・ド・フランス

A : さあ、残りわずか 500 メートル…。

B : シャンゼリゼ通りの観衆の拍手に迎えられて、パオロ・ティノが到着します！ ツール・ド・フランスの最終ステージで勝利を収めたのはこのイタリアの選手でした！

A : 彼は今回ずば抜けていましたね！ 最後までマイヨ・ジョーヌを守り続けました。これはまさしくツール・ド・フランス史上の大事件ですよ。

La loi Evin

En 1991, la France adopte* la loi Evin : il s'agit d'une loi contre le tabagisme et l'alcoolisme. C'est Claude Evin, à l'époque ministre des Affaires sociales, qui a défendu cette loi devant le Parlement**. Depuis, il est interdit de faire de la publicité à la télévision pour le tabac et pour l'alcool. C'est une grande différence avec le Japon, où l'on*** peut encore voir ce genre de publicités.

補足 * adopter 動 採用する、可決する
** Parlement 男 国会
*** l'on :《文章語で》母音が連続するのを避けて、on の代わりに l'on を使うことがある

エヴァン法

1991 年にフランスでエヴァン法が制定された。これはタバコとアルコール依存に対処する法律だ。この法律を国会で擁護したのは、当時の保健相のクロード・エヴァンだった。それ以降、タバコとアルコールの宣伝をテレビ上で行うことが禁止された。この手の広告がまだ見られる日本とは大違いだ。

前置詞

Hier, <u>à</u> minuit, j'ai envoyé un mail <u>à</u> ma meilleure amie <u>pour</u> lui souhaiter un bon anniversaire... <u>pour</u> l'instant, elle ne m'a toujours pas répondu !

昨日の真夜中0時に親友に誕生日を祝うメールを送ったんだけど、いまのところ返事がない！

ポイント　前置詞は動詞由来か、それ以外か

à ma meilleure amie では、envoyer 動詞が前置詞 à を求めています。このように前置詞を必要とする動詞、特に parler のように複数の前置詞を取ることのできるものは、ミスの原因になりやすく注意が必要です。

▶ parler à... 誰かに話す / parler avec... 誰かと話す / parler de... 何かについて話す

また、熟語表現を構成する前置詞もなるべくセットで覚えましょう。例えば、à minuit の à は時刻を表すときに使う前置詞ですし、pour l'instant は「いまのところ」という決まった言い方です。ちなみにもう一つの pour は、souhaiter 動詞を導入していて、「…するために」という意味を持っています。

練習問題　適切な前置詞を入れましょう（à, de, en, par, pour, sans）。

1) Je suis fort ＿＿＿ maths.　数学が得意だ。

2) Ils parlent ＿＿＿ toi.　彼らは君の話をしている。

3) Il est trop faible ＿＿＿ faire ce travail

この仕事をするには彼は体が弱すぎる。

4) Elle aime les meubles ＿＿＿ bois.　彼女は木製の家具が好きだ。

5) Il a commencé ＿＿＿ apprendre le français.

彼はフランス語を習い始めた。

6) Je suis sorti ＿＿＿ rien manger.　何も食べないで出かけた。

7) Il m'a contacté ＿＿＿ mail.　彼はメールで私に連絡した。

8) J'y ai vécu ＿＿＿ 2005 à 2013.

2005 年から 2013 年までそこで生活していた。

（答えは 189 ページ）

2bis

421	☐☐☐ 車にひかれる	<u>se</u> faire <u>écraser</u> par une voiture
422	☐☐☐ ゴシック様式の教会	une église de <u>style</u> gothique
423	☐☐☐ 世界チャンピオン	le <u>champion</u> du monde
424	☐☐☐ 本をサイズ別に分類する	<u>classer</u> les livres par taille
425	☐☐☐ 隠しカメラ	une <u>caméra</u> cachée
426	☐☐☐ 砂の山	un <u>tas</u> de sable
427	☐☐☐ 小さな穴をあける	percer un petit <u>trou</u>
428	☐☐☐ カップ1杯のコーヒー	une <u>tasse</u> de café
429	☐☐☐ ファッション誌を読む	lire un <u>magazine</u> de mode
430	☐☐☐ 誰か他の人にそれをするよう指示する	<u>ordonner</u> à quelqu'un d'autre de le faire
431	☐☐☐ 決定を取り消す	<u>annuler</u> la décision
432	☐☐☐ それを厄介払いしたよ	Je <u>m</u>'en <u>suis</u> <u>débarrassé</u>.

	écraser /ekʀaze/	動 ❶押し潰す、（車が）ひく ❷徹底的に打ち負かす ⇒ écrasant(e) 形 圧倒的な
un	**style** /stil/	男 ❶様式　❷文体 ❸（その人なりの）やり方 ❹《スポーツ》フォーム
	champion(ne) /ʃɑ̃pjɔ̃, -ɔn/	名 チャンピオン ⇒ championnat 男 選手権
	classer /klɑse/	動 ❶分類する、整理する　❷評価する ⇒ classement 男 分類、格付け ⇒ classeur 男 ファイル
une	**caméra** /kamera/	女 （動画用）カメラ ＊写真用カメラは appareil photo 男 ★ caméra de surveillance　監視カメラ
un	**tas** /tɑ/	男 ❶山積み、堆積　❷工事現場 ★ un [des] tas de...　たくさんの… ⇒ entasser 動 積み重ねる
un	**trou** /tru/	男 ❶穴、破れ目　❷欠落、空白 ❸《話》片田舎 ★ trou noir　ブラックホール ⇒ trouer 動 穴をあける
une	**tasse** /tɑ:s/	女 （取っ手のついた）カップ、1杯分 ⇒ soucoupe 女 ソーサー、受け皿
un	**magazine** /magazin/	男 ❶（写真が多く入った）雑誌 ❷（テレビ・ラジオの）情報番組 ≒ revue 女（専門的な）雑誌
	ordonner /ɔrdɔne/	動 ❶命じる　❷処方する　❸整理する ⇒ ordonnance 女 処方箋、法令
	annuler /anyle/	動 取り消す、無効にする ⇒ annulation 女 取り消し
	débarrasser /debarase/	代動〈se débarrasser de...〉…を厄介払いする、捨てる 動 片づける、（邪魔なものを）取り除く

433	☐☐☐ ラベルを貼る	<u>coller</u> une étiquette
434	☐☐☐ 明かりを消す	<u>éteindre</u> la lumière
435	☐☐☐ もし君が 嫌でないなら	si ça ne te <u>gêne</u> pas
436	☐☐☐ ホラー映画	un film d'<u>horreur</u>
437	☐☐☐ 緊急に助けが必要だ	avoir un besoin <u>urgent</u> d'aide
438	☐☐☐ イギリス女王	la <u>reine</u> d'Angleterre
439	☐☐☐ 語彙が乏しい	avoir un <u>vocabulaire</u> pauvre
440	☐☐☐ 豚を運ぶトラック	un <u>camion</u> transportant des cochons
441	☐☐☐ 歓喜の叫びを上げる	pousser un <u>cri</u> de joie
442	☐☐☐ 風邪をひく	<u>attraper</u> un rhume
443	☐☐☐ 犯人を厳しく罰する	<u>punir</u> sévèrement les coupables
444	☐☐☐ 絵を壁にかける	<u>accrocher</u> un tableau au mur

	coller /kɔle/	動 のりで貼る、くっつける、くっつく ⇒ colle 女 のり、接着剤 ⇒ copier-coller 男 動 コピペ（する）
	éteindre /etɛ̃:dr/	動 （火・テレビなどを）消す 代動 〈s'éteindre〉（火などが）消える ⇒ éteint(e) 形 消えた
	gêner /ʒene/	動 ❶不快にする、迷惑をかける 　　❷窮屈にする ⇒ gêne 女 不自由、気詰まり、迷惑
une	**horreur** /ɔrœ:r/	女 ❶恐怖　❷嫌悪、憎しみ　❸残酷さ ★ avoir horreur de... …が大嫌いだ ⇒ horrible 形 恐ろしい、ひどい
	urgent(e) /yrʒɑ̃, -ɑ̃:t/	形 緊急の ⇒ urgence 女 緊急
une	**reine** /rɛn/	女 王妃、女王 ⇒ roi 男 王
le	**vocabulaire** /vɔkabylɛ:r/	男 ❶語彙、用語 　　❷基本語辞典、専門用語集
un	**camion** /kamjɔ̃/	男 トラック ⇒ poids lourd 男 大型トラック
un	**cri** /kri/	男 叫び、泣き声、鳴き声 ⇒ crier 動 叫ぶ
	attraper /atrape/	動 ❶捕まえる、（電車に）間に合う 　　❷（病気に）かかる 代動 〈s'attraper〉（病気が）うつる
	punir /pyni:r/	動 罰する ⇒ punition 女 罰、処罰
	accrocher /akrɔʃe/	動 ❶かける、吊るす、引っかける 　　❷（注意を）引く 代動 〈s'accrocher à...〉…に引っかかる、 しがみつく、諦めない

445	☐☐☐	私の話は まだ終っていない	Je n'ai pas fini ma <u>phrase</u>.
446	☐☐☐	痛みを感じる	sentir une <u>douleur</u>
447	☐☐☐	ハードディスク	un <u>disque</u> dur
448	☐☐☐	バスによる 空港と駅の連絡	la <u>liaison</u> en bus entre l'aéroport et la gare
449	☐☐☐	両親と言い争う	<u>se</u> <u>disputer</u> avec ses parents
450	☐☐☐	息子の頰に キスをする	<u>embrasser</u> son fils sur la joue
451	☐☐☐	バーで飲む	prendre un verre au <u>bar</u>
452	☐☐☐	無罪を主張する	se déclarer <u>innocent</u>
453	☐☐☐	彼らは握手した	Ils <u>se</u> <u>sont</u> <u>serré</u>* la <u>main</u>.
454	☐☐☐	はっきり言って それには興味ない	<u>Franchement</u>, ça ne m'intéresse pas.
455	☐☐☐	屋根から飛び降りる	<u>sauter</u> du toit
456	☐☐☐	電子辞書	un dictionnaire <u>électronique</u>

*過去分詞は性数一致しない。

Partie 8

| une **phrase**
/fʀɑ:z/ | 女 文、文章、言葉 |

| la **douleur**
/dulœ:r/ | 女 痛み、苦痛、苦しみ
⇒ douloureux(se) 形 痛い、苦しい |

| un **disque**
/disk/ | 男 ディスク、円盤
⇒ CD 男（＜英語）
⇒ DVD 男（＜英語） |

| une **liaison**
/ljɛzɔ̃/ | 女 ❶関連　❷連絡　❸愛人関係
　❹《文法》リエゾン
⇒ lier 動 縛る、結びつける |

| **disputer**
/dispyte/ | 代動〈se disputer〉口論する
動 争う、叱る
⇒ dispute 女 口論 |

| **embrasser**
/ɑ̃bʀase/ | 動 ❶キスをする　❷《古》抱擁する
★ Je t'embrasse. 《手紙の結びで》愛を込めて
＊「抱擁する」の意味では enlacer, étreindre
を使う |

| un **bar**
/ba:r/ | 男 ❶バー、酒場　❷カウンター
⇒ barman 男 バーテンダー |

| **innocent(e)**
/inɔsɑ̃, -ɑ̃:t/ | 形 ❶無罪の、潔白な
　❷無邪気な、無垢な、単純な
⇒ innocence 女 無実、無垢 |

| **serrer**
/sere/ | 動 ❶握りしめる、抱きしめる　❷締めつける
　❸間隔を詰める　❹切り詰める
代動〈se serrer〉詰め合う |

| **franchement**
/fʀɑ̃ʃmɑ̃/ | 副 ❶率直に、きっぱりと　❷本当に
⇒ franc, franche 形 率直な |

| **sauter**
/sote/ | 動 ❶跳ぶ、飛びかかる　❷飛躍する、
　抜け落ちる　❸ソテーにする
⇒ saut 男 跳躍、ジャンプ |

| **électronique**
/elɛktʀɔnik/ | 形 電子の、電子工学の
女 電子工学 |

457	頬へのキス	un <u>baiser</u> sur la joue
458	グラスを ひっくり返す	<u>renverser</u> un verre
459	財務監査官	un <u>inspecteur</u> des finances
460	これが何か 当ててみて	<u>Devine</u> ce que c'est.
461	彼女は私を家から 追い出した	Elle m'<u>a chassé</u> de la maison.
462	勇気ある決断を下す	prendre une décision <u>courageuse</u>
463	お別れパーティー	un <u>pot</u> d'adieu
464	君は天才だ	Tu es un <u>génie</u>.
465	隠された財宝	un <u>trésor</u> caché
466	手引きを読む	lire le <u>manuel</u>
467	おりに 閉じ込められる	<u>être</u> <u>enfermé</u> dans une cage
468	小さな嘘を許す	<u>pardonner</u> un petit mensonge

un **baiser** /beze/	男 キス、口づけ
renverser /rɑ̃vɛrse/	動 ひっくり返す、こぼす、（車が人を）はねる ⇒ renversement 男 逆転、転覆
inspecteur(trice) /ɛ̃spɛktœːr, -tris/	名 ❶検査官、視察官 ❷捜査官、私服刑事 ⇒ inspecter 動 検査する
deviner /d(ə)vine/	動 言い当てる、見抜く、（謎を）解く ⇒ devinette 女 なぞなぞ
chasser /ʃase/	動 ❶狩る ❷追い出す ⇒ chasse 女 狩り ⇒ chasseur(se) 名 猟師
courageux(se) /kuraʒø, -øːz/	形 勇敢な、熱心な ⇒ courage 男 勇気、元気 ⇒ courageusement 副 勇敢に
un **pot** /po/	男 ❶壺、瓶 ❷《話》飲み会、（飲み物の）1杯
un **génie** /ʒeni/	男 ❶天才、才能 ❷妖精、守護神 ⇒ génial(e) 形 天才的な
un **trésor** /trezɔːr/	男 ❶宝、財宝 ❷《複》富、大金 ❸〈T-〉国庫 ★ Trésor public 国庫 ⇒ trésorerie 女 国庫、（企業の）経理
un **manuel** /manɥɛl/	男 教科書、手引き、マニュアル ⇒ manuel(le) 形 手の、手［体］を使う
enfermer /ɑ̃fɛrme/	動 閉じ込める、（物を）しまう
pardonner /pardɔne/	動 許す、大目に見る ⇒ pardon 男 許し、《間投詞的に》すみません

107

469	☐☐☐ お金持ちの女性と結婚する	<u>épouser</u> une femme riche
470	☐☐☐ ばかげた質問をする	poser une question <u>idiote</u>
471	☐☐☐ 何か買いに行く	aller acheter un <u>truc</u>
472	☐☐☐ 狩りに行く	aller à la <u>chasse</u>
473	☐☐☐ 肖像画を描く	<u>dessiner</u> un portrait
474	☐☐☐ ヒップホップダンス	la <u>danse</u> hip-hop
475	☐☐☐ 穴を掘る	<u>creuser</u> un trou
476	☐☐☐ 面倒なことになりそうだ	On va avoir des <u>ennuis</u>.
477	☐☐☐ 食料不足	le manque de <u>nourriture</u>
478	☐☐☐ 診断書	un <u>certificat</u> médical
479	☐☐☐ 車を発進させる	<u>faire</u> <u>démarrer</u> la voiture
480	☐☐☐ 悪がき	un sale <u>gosse</u>

	épouser /epuze/	動 ❶結婚する ❷支持する ❸ぴったり合う ⇒ époux(se) 名 配偶者
	idiot(e) /idjo, -ɔt/	形 ばかな 名 ばか ≒ bête 形 《話》ばかな
un	**truc** /tryk/	男《話》❶こつ、要領、トリック ❷あれ、 それ　＊名前を知らない物、すぐに思い出せ ない物などを指す ❸特技
la	**chasse** /ʃas/	女 ❶狩猟 ❷追跡 ❸排水（装置） ⇒ chasser 動 狩る ⇒ chasseur(se) 名 猟師
	dessiner /desine/	動（線で）描く、デッサンする ⇒ dessin 男 デッサン、絵
une	**danse** /dɑ̃:s/	女 ダンス、踊り ⇒ danseur(se) 名 ダンサー
	creuser /krøze/	動 掘る ★ creuser l'écart 差を広げる ⇒ creux(se) 形 中が空の、くぼんだ；男 穴
l′	**ennui** /ɑ̃nɥi/	男 ❶心配事、面倒、悩み ❷退屈 ⇒ ennuyer 動 困らせる ⇒ ennuyeux(se) 形 嫌な、退屈な
la	**nourriture** /nurity:r/	女 食べ物、食事 ⇒ nourrir 動 食べ物を与える、養う
un	**certificat** /sɛrtifika/	男 証明書 ⇒ certifier 動 証明する、保証する ⇒ certain(e) 形 確実な
	démarrer /demare/	動 発車する、始動する ⇒ démarrage 男 発進、起動
	gosse /gɔs/	名《話》子供、がき ≒ enfant 名

L'importance du vocabulaire

A : Est-ce que tu connais un bon manuel pour apprendre le vocabulaire ?

B : Tu cherches pour quel niveau ?

A : Le niveau intermédiaire*. Je dois absolument réussir un certificat de français.

B : Dans ce cas, je te conseille celui-ci : les mots sont classés selon leur fréquence** et les phrases d'exemple sont très utiles. Il existe aussi en version numérique. Et je peux également te prêter mon dictionnaire électronique.

補足 * intermédiaire 形 中間の、中級の   ** fréquence 女 頻度、頻繁さ

仏検

3級

準2級

語彙力の大切さ

Ａ：語彙を勉強するのにいい参考書を知らない？

Ｂ：どのくらいのレベルで探しているの？

Ａ：中級レベルだね。フランス語の資格試験に必ず合格しなければならないんだ。

Ｂ：それなら、これがおすすめ。単語は頻度順に配列されているし、用例はとても役に立つ。電子版もあるの。あと、私の電子辞書も貸してあげるよ。

Le collectionneur

Quand j'ai du temps, j'aime bien aller aux marchés aux puces*. On trouve toujours des tas d'objets intéressants : des tasses à thé, de petites cuillères** en argent, des pots à beurre... Mes amis me disent que je devrais me débarrasser de tous ces « trucs inutiles »... mais pour moi, ce sont des trésors que je n'abandonnerai pour rien au monde***.

補足　* marché aux puces 男 蚤の市
　　　** cuillère 女 スプーン
　　　*** pour rien au monde :「絶対に…ない」「全く…ない」というように、否定文の強調に使われる表現

コレクター

　時間があるときは、蚤の市に行くのが好きだ。面白いものが、いつもたくさん見つかる。例えば、ティーカップや、銀のティースプーン、バターポットとか…。こんな「役に立たないモノ」はすべて捨てるべきだって、友人たちは私に言うけど…。私にとっては、絶対に手放せない宝物なんだ。

481	☐☐	多くの観客を引きつける	attirer de nombreux <u>spectateurs</u>
482	☐☐	その中学の卒業生	un ancien <u>élève</u> du collège
483	☐☐	落ち葉を集める	<u>ramasser</u> les feuilles mortes
484	☐☐	肘かけ椅子に座る	s'asseoir dans un <u>fauteuil</u>
485	☐☐	ヴェールを取り除く；真相を明らかにする	lever le <u>voile</u>
486	☐☐	セクション長	le directeur de la <u>section</u>
487	☐☐	白い砂のビーチ	une plage de <u>sable</u> blanc
488	☐☐	家を建てる	<u>bâtir</u> une maison
489	☐☐	リズムを加速させる	<u>accélérer</u> le rythme
490	☐☐	ワンルームに住む	habiter dans un <u>studio</u>
491	☐☐☐	彼（女）のお気に入りのおもちゃ	son <u>jouet</u> préféré
492	☐☐	はじめまして	<u>Enchanté</u> (de faire votre connaissance).

spectateur(trice) /spɛktatœːr, -tris/	名 ❶観客、見物人 ❷目撃者 ⇒ spectacle 男 光景、ショー ⇒ spectaculaire 形 劇的な、華々しい
élève /elɛːv/	名 生徒 ＊通常は、小学生から高校生まで ⇒ étudiant(e) 名 (特に大学の) 学生
ramasser /ramɑse/	動 集める、拾う、ひとつにまとめる ⇒ ramassage 男 取り集め、回収
un **fauteuil** /fotœj/	男 肘かけ椅子 ★ fauteuil roulant　車椅子
un **voile** /vwal/	男 ヴェール、覆い、幕 ⇒ dévoiler 動 覆いを取る、明らかにする
une **section** /sɛksjɔ̃/	女 ❶部、課、支部、学科　❷区間、区分 ❸切断、断面
le **sable** /sɑːbl/	男 ❶砂 ❷《複》砂地、砂漠
bâtir /bɑtiːr/	動 建てる、築く 代動 〈se bâtir〉建てられる ⇒ bâtiment 男 建物
accélérer /akselere/	動 加速する、促進する 代動 〈s'accélérer〉速くなる ⇔ ralentir 動 減速する
un **studio** /stydjo/	男 ❶ワンルームマンション ❷スタジオ
un **jouet** /ʒwɛ/	男 おもちゃ ★ être le jouet de...　…のされるがままになる ≒ joujou 男《幼児語》
enchanté(e) /ɑ̃ʃɑte/	形 ❶はじめまして、とてもうれしい ❷魔法にかけられた ⇒ enchanter 動 魅惑する、魔法をかける

113

493	受付に聞きに行く	Je vais <u>me renseigner</u> à l'accueil.
494	屋根によじ登る	<u>grimper</u> sur le toit
495	ルーヴル宮	le <u>palais</u> du Louvre
496	悪夢だった	C'était un <u>cauchemar</u>.
497	競技場に行く	aller au <u>stade</u>
498	魔法の杖	une baguette <u>magique</u>
499	ボトルを空にする	<u>vider</u> une bouteille
500	ミサに行く	aller à la <u>messe</u>
501	仏語仏文学部	le <u>département</u> de langue et littérature françaises
502	目を見張る成果	un résultat <u>impressionnant</u>
503	リストを作成する	<u>dresser</u> une liste
504	壁を白く塗る	<u>peindre</u> les murs en blanc

	renseigner /rɑ̃sɛɲe/	代動 〈se renseigner sur...〉 …について問い合わせる、情報を得る 動《sur, について》教える、情報を与える ⇒ renseignement 男 情報
	grimper /grɛ̃pe/	動 ❶よじ登る、はい上がる ❷（道が）急な上りになる ❸《話》急上昇する
un	**palais** /palɛ/	男 宮殿、（公共の）大建築物 ★ Palais de justice 裁判所
un	**cauchemar** /koʃmaːr/	男 悪夢
un	**stade** /stad/	男 ❶競技場、スタジアム ❷段階
	magique /maʒik/	形 魔法の ⇒ magie 女 魔法、マジック
	vider /vide/	動 空にする、（容器の中身を）捨てる 代動 〈se vider〉 なくなる、排出される ★ vider les lieux 立ち退く
une	**messe** /mɛs/	女 ミサ
un	**département** /departəmɑ̃/	男 ❶部門、部局、課、省 ❷（フランスの）県 ⇒ préfecture 女 県庁、（日本の）県
	impressionnant(e) /ɛ̃presjɔnɑ̃, -ɑ̃ːt/	形 印象的な、衝撃的な ⇒ impressionner 動 強い印象を与える、感動させる ⇒ impression 女 印象
	dresser /drese/	動 ❶（書類・計画を）作成する ❷立てる、まっすぐにする ❸調教する
	peindre /pɛ̃ːdr/	動 ❶色を塗る、塗装する ❷（絵を）描く、描写する ⇒ peinture 女 絵、塗料

505	☐ ルイ 14 世の ☐ 絵画コレクション	la <u>collection</u> de tableaux de Louis XIV
506	☐ ☐ 風が吹く ☐	Le vent <u>souffle</u>.
507	☐ ☐ 卵を小麦と混ぜる ☐	<u>mélanger</u> les œufs avec la farine
508	☐ ☐ プールに通う ☐	<u>fréquenter</u> la piscine
509	☐ ☐ 急死 ☐	une mort <u>soudaine</u>
510	☐ サインを ☐ お願いします	Votre <u>signature</u>, s'il vous plaît.
511	☐ その犬は左の前脚が ☐ 痛いようだ	Le chien a mal à la <u>patte</u> avant gauche.
512	☐ ☐ 明日お返しします ☐	Je vous <u>rembourserai</u> demain.
513	☐ 君はこれを面白いと ☐ 思っているの？ ☐	Tu trouves ça <u>drôle</u> ?
514	☐ ☐ 私の元パートナーだ ☐	C'est mon ancien <u>compagnon</u>.
515	☐ ☐ 洗濯ひも ☐	une <u>corde</u> à linge
516	☐ 先生の周りに ☐ 輪になって座る ☐	s'asseoir <u>en cercle</u> autour du professeur

une **collection** /kɔ(l)lɛksjɔ̃/	女 ❶ 収集品、コレクション ❷（本の）シリーズ ⇒ collectionner 動 収集する ⇒ collectionneur(se) 名 収集家、コレクター
souffler /sufle/	動 ❶ 息を吹きかける、息を吐く ❷（風が）吹く ⇒ souffle 男 息、風
mélanger /melɑ̃ʒe/	動 ❶ 混ぜる、混ぜ合わせる ❷ 混同する 代動〈se mélanger〉混ざる ⇒ mélange 男 混合、混ぜること
fréquenter /frekɑ̃te/	動 ❶ 頻繁に通う、よく行く ❷ つき合う、交際する ⇒ fréquentation 女 よく通うこと、つき合い
soudain(e) /sudɛ̃, -ɛn/	形 突然の、急な 副 不意に、急に
une **signature** /siɲatyːr/	女 署名、サイン ⇒ signer 動 サインする ⇒ signataire 名 署名者
une **patte** /pat/	女 ❶（動物の）脚、足 ❷《話》（人間の）脚、手 ★ Bas les pattes ! 触るな！
rembourser /rɑ̃burse/	動（借りた金を）返す、払い戻す ⇒ remboursement 男 返済、払い戻し
drôle /droːl/	形 ❶ 滑稽な、面白い ❷ 変な ❸《話》大した ≒ rigolo(te) 形《話》, marrant(e) 形《話》面白い、奇妙な
un **compagnon** /kɔ̃paɲɔ̃/	男 連れ、パートナーの男性 ⇒ compagne 女 連れ、パートナーの女性
une **corde** /kɔrd/	女 ❶ 縄、ロープ、（丈夫な）ひも ❷（楽器の）弦 ⇒ ficelle 女 細ひも
un **cercle** /sɛrkl/	男 ❶ 円、輪 ❷ サークル ★ cercle vicieux 悪循環

117

517	☐☐ メリークリスマス！	Joyeux <u>Noël</u> !
518	☐☐ 祈りの言葉を唱える	faire sa <u>prière</u>
519	☐☐ 紙を破る	<u>déchirer</u> le papier
520	☐☐ 盗んだのではないかと疑われる	<u>être</u> <u>soupçonné</u> d'avoir volé
521	☐☐ タクシーの運転手	un <u>chauffeur</u> de taxi
522	☐☐ 蚊に刺される	se faire <u>piquer</u> par un moustique
523	☐☐ 個性が強い	avoir une forte <u>personnalité</u>
524	☐☐ エネルギーを節約する	<u>économiser</u> l'énergie
525	☐☐ 機嫌がいいね	Tu es de bonne <u>humeur</u>.
526	☐☐ 犬に噛まれる	se faire <u>mordre</u> par un chien
527	☐☐ 誇張しているでしょ！	Tu <u>exagères</u> !
528	☐☐ ノルマンディーに上陸する	<u>débarquer</u> en Normandie

un **Noël** /nɔɛl/	男 クリスマス ★ père Noël 男 サンタクロース
une **prière** /prijɛːr/	女 祈り（の言葉）、懇願 ★ prière de 不定詞 …してください ⇒ prier 動 祈る
déchirer /deʃire/	動 ❶引き裂く、破る ❷分裂させる 代動 〈se déchirer〉破れる、裂ける
soupçonner /supsɔne/	動 ❶疑う、怪しむ ❷感づく ❸推測する ⇒ soupçon 男 疑い
un **chauffeur** /ʃofœːr/	男 （自動車の）職業運転手 ＊女性についてもいう ⇒ chauffard 男《話》乱暴な運転手
piquer /pike/	動 ❶突き刺す、注射する ❷刺激する ❸《話》《à, から》盗む ⇒ piquant(e) 形 辛い、ピリッとする、 チクチクする
la **personnalité** /pɛrsɔnalite/	女 ❶個性、人格 ❷重要人物 ⇒ personne 女 人
économiser /ekɔnɔmize/	動 節約する、貯金する ⇒ économique 形 経済の、経済的な、 安上がりの
l' **humeur** /ymœːr/	女 ❶機嫌、気分 ❷気質、性格 ★ être d'humeur à 不定詞 …したい気分だ
mordre /mɔrdr/	動 ❶噛む、噛みつく ❷腐食させる ❸苦しめる ★ se mordre les doigts de... …を後悔する
exagérer /ɛgzaʒere/	動 誇張する、やりすぎる ⇒ exagération 女 誇張
débarquer /debarke/	動 ❶上陸する、（船・飛行機から）降りる ❷降ろす ❸不意に来る、近況に疎い ⇔ embarquer 動 乗せる、乗る

119

529	☐☐ 財布をなくす	perdre son <u>portefeuille</u>
530	☐☐ リズムを遅くする	<u>ralentir</u> le rythme
531	☐☐ コートを脱ぐ	enlever son <u>manteau</u>
532	☐☐ 人工衛星から 撮影された写真	des images prises par <u>satellite</u>
533	☐☐ 練習が足りない	manquer d'<u>entraînement</u>
534	☐☐ 録音技師	un <u>ingénieur</u> du son
535	☐☐ 大したことじゃない	Ce n'est pas <u>grand-chose</u>.
536	☐☐ 残酷な現実	une réalité <u>cruelle</u>
537	☐☐ 猟銃	un <u>fusil</u> de chasse
538	☐☐ 子供たちを 怖がらせる	<u>effrayer</u> les enfants
539	☐☐ たくさんお金を使う	<u>dépenser</u> beaucoup d'argent
540	☐☐ 台地上の村	un village situé sur un <u>plateau</u>

un **portefeuille** /pɔrtəfœj/	男 財布 ⇒ porte-monnaie 男 小銭入れ
ralentir /ralɑ̃tiːr/	動（速度を）遅くする、スピードを落とす 代動〈se ralentir〉遅くなる ⇔ accélérer 動 加速する
un **manteau** /mɑ̃to/	男 コート、オーバー (複 *manteaux*) ⇒ portemanteau 男 コート掛け
un **satellite** /satelit/	男 ❶衛星、人工衛星　❷サテライトビル ❸衛星国
l' **entraînement** /ɑ̃trɛnmɑ̃/	男 トレーニング、訓練、調教 ⇒ s'entraîner 代動 トレーニングする
ingénieur(e) /ɛ̃ʒenjœːr/	名 技師、技術者、エンジニア
grand-chose /grɑ̃ʃoːz/	代《不定代名詞》《否定形でのみ》大したこと、 大したもの
cruel(le) /kryɛl/	形 残酷な、むごい、厳しい ⇒ cruellement 副 残酷に ⇒ cruauté 女 残忍さ
un **fusil** /fyzi/	男 銃、小銃 ⇒ fusillade 女 銃撃戦 ⇒ fusiller 動 銃殺する
effrayer /efrɛje/	動 怖がらせる、おびえさせる ⇒ effrayant(e) 形 恐ろしい
dépenser /depɑ̃se/	動 ❶（お金を）使う、消費する ❷（時間・力を）使う ⇒ dépense 女 出費、支出
un **plateau** /plato/	男 ❶トレー、盆　❷高原、台地 ❸舞台、スタジオセット (複 *plateaux*)

Où faire des économies ?

A : Noël arrive déjà ! J'aimerais bien acheter à mes enfants les jouets qu'ils veulent, mais j'ai dépensé énormément durant l'été...

B : Pareil* pour moi. Mon portefeuille est bien léger, depuis les vacances d'été !

A : Tu fais quelque chose de** spécial pour économiser ?

B : Ce n'est pas grand-chose, mais je sors un peu moins ce mois-ci !

補足 * pareil : もともとの表現は c'est pareil であるが、口語では c'est を省略することが多い
** quelque chose de 形 : quelque chose や quelqu'un, rien などを形容詞で修飾する場合、de を間にはさむ

どこを節約すればいいのか？

A : もうクリスマスがやってくるよ！ うちの子たちが欲しがっているおもちゃを買ってあげたいんだけど、夏の間にたくさん出費してしまって…。

B : 僕も同じだよ。夏休みが終わってから、僕の財布もとても軽くなってしまったよ。

A : 節約するために、特に何かしている？

B : 大したことはやってないんだけど、今月は少し外出を控えているよ。

Une découverte musicale

La semaine dernière, j'ai été invité à un petit concert que des amis musiciens donnaient gratuitement dans une église. C'était une œuvre de musique religieuse du quatorzième siècle : la *Messe de Notre Dame* de Guillaume de Machaut. Les voix des quatre chanteurs se mélangeaient à merveille* et le résultat était impressionnant. Les spectateurs n'étaient pas nombreux, mais tous** semblaient enchantés et émus*** d'écouter ces prières musicales du Moyen Âge.

補足　* à merveille : すばらしく、見事に
** tous /tus/ : 不定代名詞 tout の複数形。ここでは spectateurs を受ける
*** ému(e) 形 感動した（< émouvoir 動 感動させる）

新たな音楽の発見

先週、音楽家の友達が教会で無料の小規模コンサートを開催していて、私はそこに招待された。そのとき歌われていたのが、ギヨーム・ド・マショーが作曲した 14 世紀の宗教音楽、《ノートルダム・ミサ曲》。4 名の歌手の声がすばらしく混ざり合っていて、心を打つ出来栄えだった。観客は多くなかったが、中世の祈りの音楽を聴き、全員は魅了され、心を動かされたようだった。

複合過去と半過去

Lorsqu'elle <u>était</u> étudiante, Alice <u>a vécu</u> à Nice pendant trois ans. Comme elle <u>habitait</u> près du Vieux-Nice, elle <u>allait</u> souvent manger des glaces là-bas.

学生のとき、アリスはニースで 3 年暮らした。旧市街の近くに住んでいたので、そこでアイスクリームを食べることがよくあった。

ポイント1 基本としては、半過去が「背景」、複合過去が「メインの出来事」

最初の文において Alice a vécu à Nice pendant trois ans は「メインの出来事」であるため、複合過去が使われています。その出来事の時期、つまり「背景」を説明する lorsqu'elle était étudiante は半過去になっています。

ポイント2 半過去は、過去における習慣や反復も表現できる

elle allait souvent manger des glaces にある副詞 souvent は動作が繰り返し行われたことをはっきり示しているため、半過去が最も適しています。

ポイント3 「持続」のニュアンスを表現する場合や、期間が区切られている（完了している）場合は複合過去。期間が区切られていない（完了していない）場合は半過去

Alice a vécu à Nice pendant trois ans も elle habitait près du Vieux-Nice もアリスの生活を話題にしていますが、前者は期間を区切っているため複合過去で完了している様を表しています。後者では期間について言及せず、「住んでいた」という事実のみを半過去で伝えています。

練習問題 動詞を複合過去か半過去にして、文を完成させましょう。

1) Quand je (sortir), il (faire) froid !　家を出たとき、外は寒かった！

2) Vous (ne pas être) à la gare du Nord, hier ?

昨日、北駅にいませんでした？

3) C'est arrivé quand j'(avoir) dix ans.

10 歳のときに起こったことです。

4) Quand il (parler), tout le monde l'(écouter).

彼が話すと、いつも皆は聞いていた。

（答えは 189 ページ）

不定形容詞：certain(e)s, plusieurs, quelques

<u>Certaines</u> personnes me demandent pourquoi j'ai <u>plusieurs</u> ordinateurs chez moi. En fait, j'ai besoin de changer d'ordinateur en fonction du travail. Cela fait <u>quelques</u> années que c'est ainsi.

なぜ自宅にパソコンが何台もあるのか、と聞いてくる人がいる。それは、仕事に応じてパソコンを替える必要があるからだ。このような感じになってもう数年になる。

ポイント certain(e)s, plusieurs, quelques のニュアンスの差

certain(e)s →いくつか、何人か (量に関係なく) →「すべて」ではない

plusieurs →いくつもの、何人もの (1つ以上、1人以上)
→「ひとつ、ひとり」ではない

quelques →いくつか、わずかな (量が少ない)
→「たくさん、多くの」ではない

ちなみに単数の形容詞 quelque は文学的であるため、最近ではほとんど使われていません。代わりに不定冠詞の un / une を用いるのが自然です。例えば、Tu aurais quelque idée ? よりも Tu aurais une idée ?「何かアイデアある?」と言う方が無難です。

練習問題 和訳に合うように、最も適切な形容詞を以下から選びましょう。

certain(e)s, plusieurs, quelques

1) J'ai encore _____ euros dans ma poche.
ポケットにまだ何ユーロか残っている。

2) Il a essayé _____ fois, en vain. 彼は何度も試したが、だめだった。

3) On s'est vus il y a _____ jours. 私たちは数日前に会った。

4) _____ personnes l'ont critiqué. 中には彼を批判する人もいました。

5) Je voudrais mettre ensemble _____ fichiers.
複数のファイルを一つにしたい。

6) _____ jours, j'ai envie de tout abandonner.
すべてを諦めたい日もある。

7) J'ai _____ questions à vous poser.
いくつかご質問したいことがあります。

8) _____ spécialistes ne sont pas d'accord.
中には異論を唱える専門家もいる。

541	☐☐☐	ミュージカル	une <u>comédie</u> musicale
542	☐☐☐	いいムード	une bonne <u>ambiance</u>
543	☐☐☐	チューインガムを飲み込む	<u>avaler</u> un chewing-gum
544	☐☐☐	ひと組の靴下	une <u>paire</u> de chaussettes
545	☐☐☐	悲しいかな、もう遅すぎる！	<u>Hélas</u>, c'est trop tard !
546	☐☐☐	お湯の温度	la <u>température</u> de l'eau chaude
547	☐☐☐	副作用	des effets <u>secondaires</u>
548	☐☐☐	彼は父親に対してひどく腹を立てている	Il est <u>furieux</u> contre son père.
549	☐☐☐	飛行機のパイロット	un <u>pilote</u> d'avion
550	☐☐☐	レッドカーペット上で	sur le <u>tapis</u> rouge
551	☐☐☐	洗濯物にアイロンをかける	<u>repasser</u> le linge
552	☐☐☐	たばこの煙	la <u>fumée</u> de cigarette

une **comédie** /kɔmedi/	女 喜劇、芝居、茶番 ⇒ comédien(ne) 名 役者
l' **ambiance** /ãbjã:s/	女 雰囲気、ムード
avaler /avale/	動 ❶飲み込む、むさぼり食う ❷（嘘を）うのみにする
une **paire** /pɛ:r/	女 対、組、つがい 形〈pair(e)〉偶数の ⇔ impair(e) 形 奇数の
†**hélas** /elɑ:s/	間 ああ、悲しいかな
la **température** /tãperaty:r/	女 温度、気温、体温
secondaire /s(ə)gɔ̃dɛ:r/	形 ❶2次的な、あまり重要でない ❷第2期の、第2次の ⇒ primaire 形 第1次の、最初の
furieux(se) /fyrjø, -ø:z/	形 ❶激怒した　❷激しい、猛烈な ⇒ fureur 女 激しい怒り
pilote /pilɔt/	名 ❶操縦士、パイロット　❷案内人 ⇒ piloter 動 操縦する、運転する ⇒ pilotage 男（飛行機の）操縦
un **tapis** /tapi/	男 じゅうたん、カーペット、マット ⇒ tapisserie 女 タペストリー
repasser /r(ə)pɑse/	動 ❶《助動詞は avoir》アイロンをかける ❷《助動詞は avoir》再度受ける ❸《助動詞は être》再び通る、再び立ち寄る ⇒ repassage 男 アイロンがけ
la **fumée** /fyme/	女 煙、湯気 ⇒ fumer 動 たばこを吸う ⇒ fumeur(se) 名 喫煙者

553	☐☐☐ コーヒーの においを嗅ぐ	sentir l'<u>odeur</u> du café
554	☐☐ ユーモアのある 話し方で語る	raconter avec <u>humour</u>
555	☐☐ 後輪	les <u>roues</u> arrières
556	☐☐ （コイン投げで） 裏か表か？	<u>Pile</u> ou face ?
557	☐☐ 慌てるな！	Ne <u>te précipite</u> pas !
558	☐☐☐ 大きな野望を 抱いている	avoir de grandes <u>ambitions</u>
559	☐☐ カーテンを閉める	fermer les <u>rideaux</u>
560	☐☐ 国際連合	l'Organisation des Nations <u>unies</u>
561	☐☐ ラグジュアリー産業	l'industrie de <u>luxe</u>
562	☐☐ 金の卵を産む めんどり	la <u>poule</u> aux œufs d'or
563	☐☐☐ 海はすぐこの下に あります	La mer est juste <u>en dessous</u>.
564	☐☐☐ 疲れる仕事	un travail <u>fatigant</u>

une **odeur** /ɔdœːr/	女 におい、香り、臭気 ⇒ odorat 男 嗅覚
l' **humour** /ymuːr/	男 ユーモア ★ humour noir　ブラックユーモア ⇒ humoriste 名 お笑い芸人
une **roue** /ru/	女 車輪 ★ grande roue　観覧車
une **pile** /pil/	女 （硬貨の）裏面《金額が刻まれた面》 副 《話》ぴったりと、ちょうどよく ⇔ face 女 （硬貨の）表面
précipiter /presipite/	代動 〈se précipiter〉❶急ぐ 　　❷身を投げる、飛び込む 動 ❶ （事態を）早める 　　❷突き落とす、投げつける
l' **ambition** /ãbisjɔ̃/	女 野心、野望 ⇒ ambitieux(se) 形 野心的な
un **rideau** /rido/	男 カーテン、幕、シャッター (複 rideaux)
uni(e) /yni/	形 ❶団結した　❷単色の、無地の 　　❸平らな、なめらかな ⇒ unir 動 結びつける
le **luxe** /lyks/	男 ぜいたく、豪華 ⇒ luxueux(se) 形 ぜいたくな、豪華な ⇒ luxueusement 副 ぜいたくに、豪華に
une **poule** /pul/	女 めんどり ⇒ coq 男 おんどり ⇒ poulet 男 若どり
dessous /d(ə)su/	副 下に、下方に ★ en dessous　下で、下側に ⇔ dessus 副 上に
fatigant(e) /fatigã, -ãːt/	形 疲れさせる、うんざりさせる ⇒ fatigué(e) 形 疲れた

565	☐☐☐ プールで溺れる	<u>se</u> <u>noyer</u> dans une piscine
566	☐☐ 金属板	une plaque de <u>métal</u>
567	☐☐ 研修	un <u>stage</u> de formation
568	☐☐ 羊肉を食べる	manger du <u>mouton</u>
569	☐☐☐ 怒らないでください	Ne <u>vous</u> <u>fâchez</u> pas.
570	☐☐ 谷に降りる	descendre dans la <u>vallée</u>
571	☐☐☐ すばらしい！ おめでとう！	C'est formidable ! <u>Félicitations</u> !
572	☐☐ 粉ミルク	du lait <u>en</u> <u>poudre</u>
573	☐☐ パリに引っ越す	<u>déménager</u> à Paris
574	☐☐☐ オルセー美術館の 入館者	les <u>visiteurs</u> du musée d'Orsay
575	☐☐ 侮辱される	se faire <u>insulter</u>
576	☐☐ 冒険物語	un <u>récit</u> d'aventures

	noyer /nwaje/	代動 〈se noyer〉 ❶溺れる、溺死する ❷紛れ込む、自分を見失う 動 ❶溺れさせる　❷水浸しにする ❸紛らわす ★ noyer le poisson　じらす
un	**métal** /metal/	男 金属 (複 *métaux*) ⇒ métallique 形 金属の
un	**stage** /staːʒ/	男 研修（期間）、実習（期間） ⇒ stagiaire 名 研修生
un	**mouton** /mutɔ̃/	男 ❶羊、羊の肉　❷従順な人 ★ Revenons à nos moutons.　本題に戻ろう
	fâcher /faʃe/	代動 〈se fâcher〉腹を立てる 動 怒らせる
une	**vallée** /vale/	女 谷、谷間、（大河の）流域 ≒ val 男 谷、渓谷
des	**félicitations** /felisitasjɔ̃/	女 複 祝辞 ⇒ féliciter 動 祝福する
une	**poudre** /pudr/	女 ❶粉、粉末　❷おしろい、パウダー ❸火薬
	déménager /demenaʒe/	動 引っ越す ⇒ déménagement 男 引っ越し、移転
	visiteur(se) /vizitœːr, -øːz/	名 ❶訪問者、見舞い客　❷見学者　❸検査官 ⇒ visite 女 訪問 ⇒ visiter 動 訪れる
	insulter /ɛ̃sylte/	動 侮辱する、ののしる ⇒ insulte 女 侮辱
un	**récit** /resi/	男 物語、話

577	☐☐☐	電話ボックス	une <u>cabine</u> téléphonique
578	☐☐☐	パリ行きの直行便	des vols directs <u>à</u> <u>destination</u> <u>de</u> Paris
579	☐☐☐	工場の閉鎖	la <u>fermeture</u> de l'usine
580	☐☐☐	7時ちょうどに	à sept heures <u>précises</u>
581	☐☐☐	ホテルに泊まる	<u>loger</u> dans un hôtel
582	☐☐☐	その決定に抗議する	<u>protester</u> contre la décision
583	☐☐☐	企業に投資するように促す	<u>inciter</u> des entreprises <u>à</u> investir
584	☐☐☐	それについてあなたにとても感謝しています	Je vous en suis très <u>reconnaissant</u>.
585	☐☐☐	イタリア文学	la <u>littérature</u> italienne
586	☐☐☐	あらゆる法的手段を用いる	<u>user</u> de tous les moyens légaux
587	☐☐☐	2本の平行な線	deux lignes <u>parallèles</u>
588	☐☐☐	猿の群れ	une meute de <u>singes</u>

	女 小部屋、キャビン、運転席、コックピット
une **cabine** /kabin/	

	女 ❶行き先、宛先 ❷用途
une **destination** /dɛstinasjɔ̃/	⇒ destinataire 名 受信者 ⇒ destiner 動 充てる、向ける

	女 ❶閉鎖、閉店 ❷閉める装置
la **fermeture** /fɛrmǝty:r/	★ fermeture éclair ファスナー

	形 正確な、明確な、ちょうどの
précis(e) /presi, -i:z/	⇒ préciser 動 正確に言う ⇒ précision 女 正確さ、《多く複数》詳細

	動 ❶泊まる、住む ❷泊める、住まわせる ❸ (ものを) 置く、収容する
loger /lɔʒe/	代動 〈se loger〉泊まる、住む ⇒ logement 男 住居

	動 抗議する、反対する
protester /prɔtɛste/	⇒ protestation 女 抗議

	動 〈inciter A à B / inciter A à 不定詞〉 A を…する気にさせる
inciter /ɛ̃site/	⇒ incitation 女 扇動

	形 感謝している
reconnaissant(e) /r(ǝ)kɔnɛsɑ̃, -ɑ̃:t/	⇒ reconnaissance 女 感謝

	女 文学、文芸
la **littérature** /literaty:r/	⇒ littéraire 形 文学の

	動 ❶使い古す、すり減らす ❷《de, を》使う、用いる
user /yze/	代動 〈s'user〉すり減る

	形 ❶《à, と》平行な ❷対応した、類似の 男 対比、比較 女 平行線
parallèle /para(l)lɛl/	⇒ parallèlement 副 平行に

	男 ❶猿 ❷猿まねする人
un **singe** /sɛ̃:ʒ/	

589	☐ ☐ その起源は 謎に包まれたままだ	L'origine reste <u>mystérieuse</u>.
590	☐ ☐ 確率を計算する	<u>calculer</u> la probabilité
591	☐ ☐ ボールを膨らませる	<u>gonfler</u> un ballon
592	☐ ☐ ボトルを振る	<u>agiter</u> la bouteille
593	☐ ☐ 1滴の水	une <u>goutte</u> d'eau
594	☐ ☐ 数々の賞を獲得する	remporter de nombreuses <u>récompenses</u>
595	☐ ☐ 水が凍った	L'eau <u>a gelé</u>.
596	☐ ☐ ☐ 狼の襲撃から 生還する	survivre à une attaque de <u>loups</u>
597	☐ ☐ 十字を切る	faire le signe de <u>croix</u>
598	☐ ☐ それに不都合は 見当たりません	Je n'y vois pas d'<u>inconvénient</u>.
599	☐ ☐ ☐ 恋は盲目	L'amour est <u>aveugle</u>.
600	☐ ☐ ☐ 彼らは 成功しそうにない	Il est <u>peu</u> <u>probable</u> qu'ils réussissent.

	mystérieux(se) /misterjø, -øːz/	形 ❶謎めいた、不可思議な ❷秘密ありげな ⇒ mystère 男 神秘、謎、不可思議
	calculer /kalkyle/	動 計算する、予測する ⇒ calcul 男 計算 ⇒ calculatrice 女 電卓
	gonfler /gɔ̃fle/	動 ❶膨らませる ❷膨らむ、腫れる ❸《話》うんざりさせる 代動 〈se gonfler〉膨らむ
	agiter /aʒite/	動 ❶振る、揺する ❷扇動する 代動 〈s'agiter〉動揺する、動き回る ⇒ agitation 女 動揺、激しい動き
une	**goutte** /gut/	女 しずく ★ goutte à goutte ぽたぽたと
une	**récompense** /rekɔ̃pɑ̃ːs/	女 褒美、報酬 ⇒ récompenser 動 報いる、褒美を与える
	geler /ʒ(ə)le/	動 ❶凍る、凍らせる ❷非常に寒い ❸凍傷にかかる［かからせる］
un	**loup** /lu/	男 狼
une	**croix** /krwa/	女 ❶十字架 ❷勲章、十文字、×印 ⇒ croiser 動 交差させる
un	**inconvénient** /ɛ̃kɔ̃venjɑ̃/	男 不都合、短所、難点 ⇒ convenir 動 適している
	aveugle /avœgl/	形 盲目の、絶対的な 名 盲人 ≒ non-voyant(e) 名 目の不自由な人
	probable /prɔbabl/	形 ありそうな ⇒ probablement 副 たぶん ⇒ probabilité 女 確からしさ、蓋然性

Le travail en boulangerie

A : Ça se passe bien, ton stage en boulangerie ?

B : Oui, l'ambiance est vraiment bonne et tout le monde est sympa*.

A : Ça doit être super de sentir l'odeur du pain chaud en permanence**...

B : Oui, c'est sûr, mais c'est assez fatigant comme métier et il y a des inconvénients aussi. Il faut se lever très tôt, être concentré*** pour être précis et rapide, rester debout des heures...

補足　* sympa 形（sympathique の略で）感じのいい
**　** en permanence : 絶えず、恒久的に
**　*** concentrer 動 集中する

仏検 3級 準2級

パン屋での仕事

A：パン屋さんでの研修は上手くいっている？

B：うん、雰囲気はとてもいいし、みんないい人だよ。

A：熱々のパンの香りをずっと嗅いでいられるなんて、すてきだろうな。

B：確かにそうなんだけど、結構疲れる仕事だし、マイナス面もあるよ。
　やたら早起きしないといけないし、正確に手早く作業するためには
　集中する必要もあるし、何時間も立っていなければならないんだ。

Les *Fables* de la Fontaine

Les *Fables* de la Fontaine sont parfois considérées comme une œuvre uniquement destinée aux enfants. De fait, dans les écoles françaises, les élèves apprennent souvent par cœur ces poèmes. Cependant, les récits des *Fables* permettent souvent de faire des parallèles avec les problèmes de notre société. Les animaux des *Fables*, tels que le loup, le renard ou le mouton, nous incitent à réfléchir, parfois avec humour, sur notre manière de vivre au quotidien.

> **補足** ジャン・ド・ラ・フォンテーヌ（1621 − 1695）の寓話詩は 1668 年に初版が刊行され、イソップ寓話を下地にした「セミとアリ」« La Cigale et la Fourmi »、「カラスとキツネ」« Le Corbeau et le Renard »、「オオカミと子ヒツジ」« Le Loup et l'Agneau » などが有名である。なお、「セミとアリ」は「アリとキリギリス」に翻案されて日本に伝わった

ラ・フォンテーヌの『寓話詩』

　ラ・フォンテーヌ寓話は専ら子供向けの作品だと思われている場合がある。事実、フランスの学校では、生徒たちはその詩を暗唱することが多い。しかし、寓話に収録されているお話は、実社会の様々な問題と比較することができる。オオカミ、キツネ、ヒツジといった寓話中の動物たちは、時にユーモアを交えながら、日々の生き方について考えるよう私たちに促してくれる。

601	□□□ 1枚のバスタオル	une <u>serviette</u> de bain
602	□□ 肩越しに見る； 振り返って見る	regarder <u>par-dessus</u> son épaule
603	□□ 飲み物の自販機	un <u>distributeur</u> de boissons
604	□□□ ひとつづりの回数券	un <u>carnet</u> de tickets
605	□□ しまった！ ケーキ作りは失敗だ	<u>Zut</u> ! J'ai raté mon gâteau.
606	□□ 地下倉庫に 下りていく	descendre à la <u>cave</u>
607	□□□ （ネットショッピングで） かごに追加する	ajouter au <u>panier</u>
608	□□ 青白い顔	le visage <u>pâle</u>
609	□□□ プロの写真家	un <u>photographe</u> professionnel
610	□□□ 服を脱ぐ	<u>ôter</u> ses vêtements
611	□□ 彼女はカフェの ウエイトレスだ	Elle est <u>serveuse</u> dans un café.
612	□□ 彼はすぐに病院へ 搬送された	Il a <u>aussitôt</u> été transporté à l'hôpital.

une	**serviette** /sɛrvjɛt/	女 ❶タオル、テーブル用ナプキン ❷書類カバン ★ serviette hygiénique 生理用ナプキン
	par-dessus /pardəsy/	前 …の上を　　副 上を、上から ★ par-dessus tout とりわけ ⇔ par-dessous 前 副 (…の) 下を
un	**distributeur** /distribytœ:r/	男 自動販売機 (=distributeur automatique) ★ distributeur de billets 現金自動支払い機 ⇒ distribuer 動 配る、供給する
un	**carnet** /karnɛ/	男 ❶手帳　❷ (切符などの) つづり ★ carnet d'adresses 住所録
	zut /zyt/	間 ちぇっ、ちくしょう ≒ mince 間
une	**cave** /ka:v/	女 ❶地下倉庫、地下室 ❷ワインセラー、ワイン
un	**panier** /panje/	男 ❶ (取っ手つきの) かご ❷ (バスケットボールの) ゴール ≒ corbeille 女 (多くは取っ手のない) かご
	pâle /pɑ:l/	形 ❶ (顔が) 青白い　❷色が薄い ❸精彩のない ⇔ foncé(e) 形 色が濃い、暗い ⇒ pâlir 動 青ざめる
	photographe /fɔtɔgraf/	名 カメラマン、写真家 ⇒ photographier 動 写真を撮る ⇒ photographique 形 写真 (用) の
	ôter /ote/	動 ❶ (身につけているものを) 脱ぐ、はずす ❷取り除く、引く
	serveur(se) /sɛrvœ:r, -ø:z/	名 ❶ウエイター、ウエイトレス ❷《スポーツ》サーバー 男 《情報》サーバー
	aussitôt /osito/	副 すぐに、直ちに ★ aussitôt que... …するとすぐに

613	☐☐☐	テントで寝る	dormir sous la <u>tente</u>
614	☐☐☐	ワイヤレスの ヘッドフォン	un <u>casque</u> <u>audio</u> sans fil
615	☐☐☐	石炭火力発電所	une centrale thermique au <u>charbon</u>
616	☐☐☐	家賃が また値上がりした	Le <u>loyer</u> a encore augmenté.
617	☐☐☐	細部を見落とす	<u>négliger</u> les détails
618	☐☐☐	これは取るに足らない 問題だ	C'est un problème <u>mineur</u>.
619	☐☐☐	明るい雰囲気	une ambiance <u>gaie</u>
620	☐☐☐	第1回戦	la première <u>manche</u>
621	☐☐☐	私の同僚と一緒に	avec mes <u>collègues</u>
622	☐☐☐	げんこつで殴る	donner un coup de <u>poing</u>
623	☐☐☐	バターを溶かす	faire <u>fondre</u> du beurre
624	☐☐☐	写真ギャラリー	une <u>galerie</u> de photos

une	**tente** /tɑ̃:t/	女 テント ⇒ tendre 動 ぴんと張る
un	**casque** /kask/	男 ヘルメット、ヘッドフォン ★ casque bleu 国連平和維持軍の兵士 ⇒ casquette 女 野球帽、ハンチング帽
le	**charbon** /ʃarbɔ̃/	男 炭、石炭、木炭 ⇒ pétrole 男 石油
un	**loyer** /lwaje/	男 家賃、部屋代 ⇒ louer 動 賃貸しする、賃借りする
	négliger /negliʒe/	動 おろそかにする、怠る、放っておく ⇒ négligence 女 怠慢、不注意
	mineur(e) /minœ:r/	形 ❶より小さい、大して重要でない 　　❷未成年の 名 未成年者 ⇔ majeur(e) 形 より大きい、極めて重大な、成年に達した；名 成年者
	gai(e) /ge/	形 ❶陽気な、愉快な　❷鮮やかな、明るい ⇒ gaieté 女 陽気さ
une	**manche** /mɑ̃:ʃ/	女 ❶袖　❷（ゲームの）回戦、セット ★ faire la manche 《話》物乞いをする
	collègue /kɔlɛg/	名 同僚
un	**poing** /pwɛ̃/	男 握りこぶし、げんこつ ⇒ poignet 男 手首 ⇒ poignée 女 取っ手
	fondre /fɔ̃:dr/	動 ❶溶かす、溶ける　❷鋳造する ★ fondre en larmes 泣き崩れる
une	**galerie** /galri/	女 ❶回廊　❷アーケード ❸画廊

625	☐☐☐ 彼は急に いなくなった	Il a <u>soudainement</u> disparu.
626	☐☐☐ 処方箋を書く	faire une <u>ordonnance</u>
627	☐☐☐ 天井にクモがいる	Il y a une araignée au <u>plafond</u>.
628	☐☐☐ 海の動物	les animaux <u>marins</u>
629	☐☐☐ クマ狩り	la chasse à l'<u>ours</u>
630	☐☐☐ 電灯をつける	allumer la <u>lampe</u>
631	☐☐☐ 静かなままだ	rester <u>silencieux</u>
632	☐☐☐ 壁に貼られた ポスター	les <u>affiches</u> collées sur le mur
633	☐☐☐ チケットは 1時間有効だ	Le ticket est <u>valable</u> pendant une heure.
634	☐☐☐ 遠い国	un pays <u>lointain</u>
635	☐☐☐ アンテナを 取りつける	installer une <u>antenne</u>
636	☐☐☐ 痕跡を消す	<u>effacer</u> les traces

	soudainement /sudɛnmɑ̃/	副 **突然** ⇒ soudain(e) 形 突然の ⇒ soudaineté 女 唐突さ
une	**ordonnance** /ɔrdɔnɑ̃:s/	女 ❶（医者の）処方、処方箋　❷法令 ❸配置、配列 ⇒ ordonner 動 命じる、処方する
un	**plafond** /plafɔ̃/	男 ❶天井 ❷上限
	marin(e) /marɛ̃, -in/	形 ❶海の　❷航海の 男 船乗り 女 海軍
un	**ours** /urs/	男 クマ ★ ours en peluche　クマのぬいぐるみ ⇒ ourse 女 雌グマ ⇒ ourson 男 子グマ
une	**lampe** /lɑ̃:p/	女 ❶電灯　❷電球　❸ランプ ★ lampe de poche　懐中電灯 ⇒ lampadaire 男 街灯
	silencieux(se) /silɑ̃sjø, -ø:z/	形 音を立てない、静かな 男 消音器、マフラー
une	**affiche** /afiʃ/	女 貼り紙、ビラ、ポスター、掲示 ⇒ afficher 動 掲示する
	valable /valabl/	形 ❶有効な　❷正当な、妥当な ⇒ valoir 動 価値がある、有用である
	lointain(e) /lwɛ̃tɛ̃, -ɛn/	形 ❶《時間・空間》遠い、はるかな ❷（関係が）遠い ⇒ loin 副 遠く
une	**antenne** /ɑ̃tɛn/	女 ❶アンテナ　❷放送　❸支部 ★ antenne parabolique　パラボラアンテナ
	effacer /efase/	動 消す、消去する ≒ gommer 動 消しゴムで消す

143

637	壁にぶつかる	<u>heurter</u> un mur
638	ボール箱	une boîte <u>en</u> <u>carton</u>
639	頭を振る*	<u>secouer</u> la tête
640	気をつけて。滑るよ！	Attention, ça <u>glisse</u> !
641	ひと組の手袋	une paire de <u>gants</u>
642	それはまったく ばかげている！	C'est complètement <u>ridicule</u> !
643	鳥の羽を見つける	trouver une <u>plume</u> d'oiseau
644	市役所前でのデモ	une manifestation devant la <u>mairie</u>
645	入口の鉄格子	la <u>grille</u> d'entrée
646	君におめでとうと 言いたい	Je te dis <u>bravo</u>.
647	飛行機は 離陸するところだ	L'avion va <u>décoller</u>.
648	衣服のしみを落とす	enlever une <u>tache</u> sur des vêtements

＊同意または疑い・拒絶を示す。

	†**heurter** /œrte/	動 ❶ぶつかる、衝突する ❷傷つける、ひんしゅくを買う
un	**carton** /kartɔ̃/	男 ❶厚紙、ボール紙 ❷ボール箱、ダンボール箱 ★ carton rouge　レッドカード
	secouer /s(ə)kwe/	動 ❶揺さぶる　❷動揺させる ❸奮起させる ⇒ secousse 女 衝撃、振動、揺れ
	glisser /glise/	動 ❶滑る、滑りやすい ❷滑り込ませる、差し込む 代動〈se glisser dans...〉…に忍び込む
un	**gant** /gɑ̃/	男 手袋 ⇒ moufle 女 ミトン《親指だけが分かれた手袋》
	ridicule /ridikyl/	形 ばかげた、滑稽な ⇒ ridiculiser 動 嘲笑する
une	**plume** /plym/	女 ❶羽、羽毛　❷ペン ★ prendre la plume　筆を取る ★ sous la plume de...　…の書くところでは
une	**mairie** /meri/	女 ❶市役所、町役場 ❷市［区、町、村］の行政 ≒ hôtel de ville 男 (大都市の) 市役所
une	**grille** /grij/	女 ❶鉄格子、鉄柵　❷網　❸一覧表 ⇒ griller 動 (グリルで) 焼く
	bravo /bravo/	間 いいぞ、うまいぞ、おめでとう
	décoller /dekɔle/	動 ❶離陸する　❷はがす ⇔ atterrir 動 着陸する
une	**tache** /taʃ/	女 ❶しみ、汚れ　❷斑点、傷 ⇒ tacher 動 しみをつける

649	□ □ □ 教育制度	le système <u>scolaire</u>
650	□ □ □ 車のヘッドライトを つける	allumer les <u>phares</u> de la voiture
651	□ □ □ 映画スター	une <u>vedette</u> de cinéma
652	□ □ □ 電気自動車	une voiture <u>électrique</u>
653	□ □ □ ベルトをする	mettre sa <u>ceinture</u>
654	□ □ □ 検索するテキストを 入力してください	<u>Tapez</u> le texte à rechercher.
655	□ □ □ 高速道路を走る	rouler sur l'<u>autoroute</u>
656	□ □ 建築現場	un <u>chantier</u> de construction
657	□ □ □ 好奇心を満たす	satisfaire sa <u>curiosité</u>
658	□ □ □ ブレーキをかける	donner un coup de <u>frein</u>
659	□ □ □ 彼は警察署に 連れて行かれた	Il a été conduit au <u>commissariat</u>.
660	□ □ □ 新婚夫婦	les jeunes <u>mariés</u>

scolaire /skɔlɛ:r/	形 学校の、学校教育の ⇒ scolarité 女 就学
un **phare** /fa:r/	男 ❶灯台 ❷ヘッドライト
une **vedette** /vədɛt/	女 ❶スター、花形　❷（ポスターなどに）大きく名前が載ること ★ mettre A en vedette　A を目立たせる
électrique /elɛktrik/	形 電気の、電動の ⇒ électricité 女 電気
une **ceinture** /sɛ̃ty:r/	女 ❶ベルト、帯　❷腰 ★ se serrer la ceinture　財布のひもを締める
taper /tape/	動 ❶たたく、ぶつ ❷（キーボードで）入力する、タイプする ❸（太陽が）照りつける ❹《話》《sur, の》悪口を言う
l' **autoroute** /otorut/	女 高速道路 ⇒ autoroutier(ère) 形 高速道路の
un **chantier** /ʃɑ̃tje/	男 工事現場、作業場 ★ chantier naval　造船所
la **curiosité** /kyrjozite/	女 好奇心、詮索癖 ⇒ curieux(se) 形 好奇心の強い
un **frein** /frɛ̃/	男 ブレーキ、抑制 ⇒ freiner 動 ブレーキをかける
un **commissariat** /kɔmisarja/	男 警察署 (=commissariat de police) ⇒ commissaire 名 警察署長、警視
marié(e) /marje/	名 新郎、新婦、《複》夫婦 形 結婚した、既婚の

147

Le vin et le vinaigre

A : Ah bah bravo, tu as déjà des taches sur ta nouvelle chemise blanche.

B : Oh zut alors ! J'espère que ça va s'effacer. Ça doit être sûrement le rouge qu'on a bu tout à l'heure chez Christian avec les autres collègues. Il avait sorti une belle bouteille de sa cave : je ne pouvais pas refuser…

A : Bon, et qu'est-ce que tu vas faire, pour ta chemise ?

B : Je vais mettre du vinaigre blanc : c'est une technique que j'utilise souvent.

仏検 3級 準2級

ワインとビネガー

A : あら、お見事！ 新しい白いシャツに、もうシミを付けたのね。

B : あー、やっちまったよ。消えるといいんだけど。これは、クリスチャンの家で他の同僚と一緒にさっき飲んだ赤ワインに違いない。彼がいいボトルをワインセラーから出してきて、断れなかったんだ…。

A : それで、シャツはどうするの？

B : ホワイトビネガーをつけるつもり。僕がよくやる方法だよ。

Le mystère du distributeur

L'autre jour, sur le quai du métro, j'ai eu soudainement soif. Comme il y avait un distributeur de boissons juste derrière moi, j'ai aussitôt sorti quelques pièces de ma poche, je les ai glissées dans la machine et j'ai choisi ma boisson... mais il n'y avait aucune réaction. Alors, j'ai essayé de secouer le distributeur, de taper sur les côtés, en vain*. Est-ce que j'avais mis une fausse pièce par erreur ? Est-ce que c'était une machine en panne ? C'est un vrai mystère** !

補足　* en vain : 無駄に、むなしく
　　　** mystère **男** 謎、神秘

自動販売機の謎

　先日、地下鉄のホームで、急に喉が渇いた。ちょうど私の後ろに、飲み物の自動販売機があったので、すぐにポケットから何枚か小銭を出し、自販機に入れ、飲み物を選んだ。しかし何も反応がなかった。自販機を揺らしたり、側面を叩いたりしてみたが、無駄だった。私は間違って、偽硬貨を入れてしまったのだろうか？ 故障中の自販機だったのか？ 本当に謎だ…。

661	ひと切れのハム	une tranche de <u>jambon</u>
662	他と比較して	par <u>comparaison</u> avec les autres
663	濃い霧の中で	dans le <u>brouillard</u> épais
664	駅から街の 中心部までの道のり	le <u>trajet</u> entre la gare et le centre-ville
665	ひどいにおい	une odeur <u>épouvantable</u>
666	高名な建築家	un célèbre <u>architecte</u>
667	地元の品を好む傾向	une <u>préférence</u> pour les produits locaux
668	それは強制ではない	Ce n'est pas <u>obligatoire</u>.
669	彼に共感を覚える	avoir de la <u>sympathie</u> pour lui
670	彼女はあなたに お会いしたくて うずうずしています	Elle est <u>impatiente</u> de vous voir.
671	靴下を履いている	porter des <u>chaussettes</u>
672	彼は足首に 軽いけがをした	Il s'est <u>légèrement</u> blessé à la cheville.

un **jambon** /ʒɑ̃bɔ̃/	男 ハム ★ jambon cru　生ハム
une **comparaison** /kɔ̃parɛzɔ̃/	女 比較 ⇒ comparer 動 比較する
le **brouillard** /bruja:r/	男 霧 ⇒ brume 女 もや、（薄い）霧
un **trajet** /traʒɛ/	男 道のり、移動
épouvantable /epuvɑ̃tabl/	形 恐ろしい、ひどい、身の毛もよだつ
architecte /arʃitɛkt/	名 建築家、建築技師 ⇒ architecture 女 建築（学）、建築様式 ⇒ architectural(e) 形 建築の
une **préférence** /preferɑ̃:s/	女 好み、偏愛 ★ de préférence　なるべく ⇒ préférer 動 より好む
obligatoire /ɔbligatwa:r/	形 強制的な、義務的な ⇒ obliger 動 強制する ⇒ obligatoirement 副 強制的に
la **sympathie** /sɛ̃pati/	女 好感、親しみ、共感 ⇒ sympathique 形 感じのいい ⇒ sympathiser 動 気が合う、共鳴する
impatient(e) /ɛ̃pasjɑ̃, -ɑ̃:t/	形 待ちきれない ⇒ impatience 女 辛抱できないこと
une **chaussette** /ʃosɛt/	女 靴下、ソックス ⇒ chaussure 女 靴 ⇒ chausson 男 上履き
légèrement /leʒɛrmɑ̃/	副 ❶軽く、軽快に　❷わずかに　❸軽率に ⇒ léger(ère) 形 軽い ⇒ légèreté 女 軽さ、軽やかさ

673	☐ チューブ入りの ☐ 歯磨き剤	le dentifrice en <u>tube</u>
674	☐ 彼女は ☐ 未亡人になった	Elle est devenue <u>veuve</u>.
675	☐ ☐ 農民の怒り ☐	la colère des <u>paysans</u>
676	☐ ☐ 画面を長時間見るな ☐	Ne regarde pas trop longtemps l'<u>écran</u>.
677	☐ ☐ 人口増加を抑制する ☐	<u>freiner</u> la croissance de la population
678	☐ ☐ 彼（女）の携帯に ☐ 電話する	appeler sur son <u>portable</u>
679	☐ ☐ さくらんぼのタルト ☐	une tarte aux <u>cerises</u>
680	☐ ☐ 暫定的な集計結果 ☐	un bilan <u>provisoire</u>
681	☐ ☐ ゴルフする ☐	jouer au <u>golf</u>
682	☐ ☐ 苦い味 ☐	un goût <u>amer</u>
683	☐ ☐ スーパーマーケットで ☐ 買い物する	faire ses courses au <u>supermarché</u>
684	☐ ☐ ソフトカバーの本 ☐	un livre à couverture <u>souple</u>

un **tube** /tyb/	男 ❶管、パイプ ❷筒、容器 ❸《話》ヒット曲 ★ tube digestif 消化管 ≒ tuyau 男 管、パイプ、ホース
veuf(ve) /vœf, vœːv/	名 やもめ、配偶者を亡くした人 形 やもめの、配偶者を亡くした
paysan(ne) /peizɑ̃, -an/	名 農民 形 農民の
un **écran** /ekrɑ̃/	男 画面、スクリーン、ディスプレイ
freiner /frene/	動 ブレーキをかける、抑制する ⇒ frein 男 ブレーキ
un **portable** /pɔrtabl/	男 携帯電話 形 持ち運びできる ⇒ porter 動 持つ、運ぶ、身につけている
une **cerise** /s(ə)riːz/	女 さくらんぼ ⇒ cerisier 男 桜の木
provisoire /prɔvizwaːr/	形 仮の、一時的な ★ à titre provisoire 一時的に ⇒ provisoirement 副 仮に、一時的に
le **golf** /gɔlf/	男 (＜英語) ゴルフ ⇒ golfeur(se) 名 ゴルファー
amer(ère) /amɛːr/	形 ❶苦い ❷つらい ⇒ amertume 女 苦さ、苦しみ
un **supermarché** /sypɛrmarʃe/	男 スーパーマーケット ⇒ hypermarché 男 大型スーパーマーケット
souple /supl/	形 ❶柔らかい、しなやかな ❷柔軟な ⇒ souplesse 女 しなやかさ、柔軟性

153

685	☐☐	私の上の娘	ma fille <u>aînée</u>
686	☐☐	2人の憲兵が 負傷した	Deux <u>gendarmes</u> ont été blessés.
687	☐☐	雨戸を閉める	fermer les <u>volets</u>
688	☐☐	ビデオゲーム店	un magasin de jeux <u>vidéo</u>
689	☐☐	耐え難い状況	une situation <u>insupportable</u>
690	☐☐	乗客リスト	la liste des <u>passagers</u>
691	☐☐	矢印が北を示す	La <u>flèche</u> indique le nord.
692	☐☐	飲酒運転	l'alcool <u>au</u> <u>volant</u>
693	☐☐	理髪店に行く	aller chez le <u>coiffeur</u>
694	☐☐	ヨーグルトを加える	ajouter du <u>yaourt</u>
695	☐☐	シーツを変える	changer les <u>draps</u>
696	☐☐	私のパソコンは 修理中だ	Mon ordinateur est <u>en</u> <u>réparation</u>.

aîné(e)
/ene/

形 年長の
⇔ cadet(te) 形 年下の

gendarme
/ʒɑ̃darm/

名 憲兵
⇒ gendarmerie 女《集合的》憲兵（隊）
＊軍に直属する警察機構

un **volet**
/vɔlɛ/

男 ❶ よろい戸、シャッター
❷（計画などの）一面、段階
❸（折り畳み式の）面

une **vidéo**
/video/

女 ビデオ、動画
形《不変》ビデオの、映像の

insupportable
/ɛ̃sypɔrtabl/

形 耐えられない、我慢できない
⇒ supporter 動 耐える、我慢する

passager(ère)
/pɑsaʒe, -ɛːr/

名 乗客
形 一時的な、束の間の
⇒ passage 男 通行、通り道

une **flèche**
/flɛʃ/

女 ❶ 矢、矢印　❷（教会の）尖塔
★ monter en flèche　急上昇する
⇒ arc 男 弓、弓形

un **volant**
/vɔlɑ̃/

男 ❶（自動車の）ハンドル
❷（バドミントンの）羽根、
（スカートなどの）すそ飾り
★ être au volant　運転している

coiffeur(se)
/kwafœːr, -øːz/

名 美容師、理髪師
⇒ coiffer 動 髪を結う、散髪する
⇒ coiffure 女 髪型

un **yaourt**
/jaurt/

男 ヨーグルト

un **drap**
/dra/

男 シーツ
⇒ couverture 女 毛布、かけ布団
⇒ matelas 男 マットレス

la **réparation**
/reparasjɔ̃/

女 ❶ 修理、修繕　❷ 賠償、償い
⇒ réparer 動 修理する、償う

697	☐☐☐ 領収書を渡す	donner un <u>reçu</u>
698	☐☐☐ 去年と同様な状況	une situation <u>semblable</u> <u>à</u> celle de l'année dernière
699	☐☐☐ 地下に下りる	descendre au <u>sous</u>-<u>sol</u>
700	☐☐☐ 石けんで手を洗う	se laver les mains avec du <u>savon</u>
701	☐☐☐ その書類を 2つに折る	<u>plier</u> la feuille en deux
702	☐☐☐ 6時に目覚ましを セットする	mettre le <u>réveil</u> à six heures
703	☐☐☐ お話を作り上げる	<u>inventer</u> une histoire
704	☐☐☐ 歯医者に行く	aller chez le <u>dentiste</u>
705	☐☐☐ 牛乳を冷蔵庫に 入れる	mettre le lait au <u>frigo</u>
706	☐☐☐ 岩壁の上にある灯台	un phare sur un <u>rocher</u>
707	☐☐☐ （空欄を埋めて） 表を完成させる	<u>compléter</u> le tableau
708	☐☐☐ ライオンのおり	la <u>cage</u> du lion

un **reçu** /r(ə)sy/	男 領収書、受取証
semblable /sãblabl/	形《à, に》似ている、類似の ⇒ vraisemblable 形 本当らしい、ありそうな
un **sous-sol** /susɔl/	男 地階、地下
un **savon** /savɔ̃/	男 石けん ⇒ lessive 女 洗剤、洗濯 ⇒ shampoing 男《<英語》シャンプー
plier /plije/	動 ❶折る ❷曲げる、曲がる ❸服従させる、適応させる 代動〈se plier〉❶曲がる ❷従う
un **réveil** /revɛj/	男 ❶目覚め ❷目覚まし時計 ⇒ se réveiller 代動 目を覚ます
inventer /ɛ̃vãte/	動 発明する、考え出す ⇒ invention 女 発明 ⇒ inventeur(trice) 名 発明家
dentiste /dãtist/	名 歯医者 ⇒ dentifrice 男 歯磨き剤
un **frigo** /frigo/	男《話》冷蔵庫 ≒ réfrigérateur 男
un **rocher** /rɔʃe/	男 岩山、岩壁、岩礁 ★ faire du rocher ロッククライミングする ≒ roche 女 岩、岩石
compléter /kɔ̃plete/	動 完成させる、補う ⇒ complet(ète) 形 完全な
une **cage** /kaːʒ/	女 ❶（動物の）おり、鳥かご ❷枠

709	☐☐☐ パリで散歩する	faire une <u>promenade</u> dans Paris
710	☐☐☐ お褒めの言葉を どうもありがとう！	Merci pour les <u>compliments</u> !
711	☐☐ テーブルを拭く	<u>essuyer</u> la table
712	☐☐☐ 美容整形外科医	un <u>chirurgien</u> esthétique
713	☐☐☐ 標識に従う	suivre les <u>panneaux</u>
714	☐☐☐ オーケストラの 指揮者	le chef d'<u>orchestre</u>
715	☐☐☐ オレンジジュースを 飲む	prendre un <u>jus</u> d'orange
716	☐☐☐ 100 ユーロの罰金を 支払う	payer une <u>amende</u> de cent euros
717	☐☐☐ スノータイヤ	les <u>pneus</u> d'hiver
718	☐☐☐ 彼女は重傷を負った	Elle s'est <u>gravement</u> blessée.
719	☐☐☐ 支払いをする	faire un <u>paiement</u>
720	☐☐☐ 独身男性	un homme <u>célibataire</u>

une	**promenade** /prɔmnad/	女 ❶散歩　❷遊歩道 ⇒ balade 女 《話》散歩
un	**compliment** /kɔ̃plimɑ̃/	男 賛辞、お世辞 ★ Mes compliments !　よくやった！
	essuyer /esɥije/	動 ❶拭く、拭う ❷（嫌な目に）あう、（被害を）被る 代動〈s'essuyer〉自分の…を拭く ⇒ essuie-glace 男（自動車の）ワイパー ⇒ essuie-mains 男 手拭き
	chirurgien(ne) /ʃiryrʒjɛ̃, -ɛn/	名 外科医 ⇒ chirurgical(e) 形 外科の ⇒ chirurgie 女 外科
un	**panneau** /pano/	男 ❶標識、掲示板、看板 ❷ボード、パネル (複 panneaux)
un	**orchestre** /ɔrkɛstr/	男 ❶オーケストラ、管弦楽団 ❷（劇場の）1 階席
un	**jus** /ʒy/	男 ❶ジュース、果汁　❷《話》電流 ⇒ juteux(se) 形 果汁の多い、（お金が）もうかる
une	**amende** /amɑ̃:d/	女 罰金
un	**pneu** /pnø/	男 タイヤ (複 pneus)
	gravement /gravmɑ̃/	副 重く、深刻に、厳かに ⇒ grave 形 重大な
le	**paiement** /pɛmɑ̃/	男 支払い ＊ payement 男 ともいう ⇒ payer 動 支払う
	célibataire /selibatɛ:r/	形 独身の、恋人のいない 名 独身者 ⇒ célibat 男 独身（生活）

Les courses

A : Est-ce que tu peux passer rapidement au supermarché ? J'ai écrit la liste des courses.

B : Tout ça ! Trois barquettes* de cerises, cinq cents grammes de jambon cru, quatre oignons, deux bouteilles de jus d'orange sanguine**, etc., etc. Tu es sérieuse*** ? Je ne peux pas porter ça tout seul !

A : Mais si, ça va aller… Ah, et rajoute aussi les yaourts ! Je n'ai pas de préférence pour le parfum, donc je te laisse choisir. Merci !

補足　＊barquette 囡（食品を入れて売る）パック、容器　　＊＊sanguin(e) 形 血液の
＊＊＊Tu es sérieuse [sérieux] ?：「君はまじめにそれを言っているのか」という風に、
信じられないことなどに対して驚きや苛立ちを表すときに使う口語的表現

買い物

A：ちょっとスーパーまで急いで行ってきてくれる？ 買い物リストを作ったから。

B：こんなに！ サクランボ3パックに、生ハム500グラム、玉ねぎ4個、ブラッドオレンジジュース2本などなど…。ちょっと待ってよ、これを全部一人で持てるわけないだろ！

A：いやいや、あなたなら大丈夫だって…。あ、あとヨーグルトも追加しといて！ 何味でもいいから、適当に選んで。よろしく！

Les écrans pliables

Une start-up a récemment inventé des écrans extrêmement souples qu'on peut plier comme une feuille de papier. Cette invention pourrait permettre la création* de nouveaux produits, comme des tablettes qui pourraient se transformer en portables. Le monde entier est actuellement fasciné par cette découverte, présentée dans une vidéo qui a été regardée plus d'un million de fois en une semaine.

補足 ＊création 女 開発、創造

折り曲げられる画面

　最近、あるベンチャー企業が、極めて柔らかく紙のように折り曲げられるディスプレイを開発した。この発明は、携帯に形を変えることができるタブレットのような、新製品の開発を可能にするかもしれない。今、世界中がこの発見に魅了されていて、これを紹介した動画は1週間で100万回以上再生されている。

関係代名詞：qui, que, dont

Jean-Luc Godard est un réalisateur <u>que</u> j'aime bien et <u>dont</u> on parle souvent dans les médias, mais <u>dont</u> les films sont souvent considérés comme complexes. Il y a en effet beaucoup de scènes <u>qui</u> sont difficiles à comprendre, <u>ce qui</u> peut décourager certaines personnes. Cependant, Godard incite ainsi le spectateur à réfléchir sur le sens des images.

ジャン＝リュック・ゴダールはとても好きな映画監督で、メディアでもよく話題になるが、その作品は複雑であると言われることがよくある。確かに難解なシーンが多く、そのせいで見る気を失う人もいるかもしれない。ただ、ゴダールはこのようにして、映像の意味について考えるよう視聴者に促しているのだ。

ポイント1 関係代名詞 qui は「主語＝先行詞」のときに使い、que は「直接目的語＝先行詞」のときに使う

qui sont difficiles à comprendre の qui は、主語の役割を担います。先行詞は scènes。一方、que j'aime bien の que は、直接目的語の役割を果たしています。先行詞は réalisateur。

ポイント2 関係代名詞 dont は「de＋間接目的語＝先行詞」のときに使う

先行詞は物、人または抽象的な事柄でも可能です。主に3パターンが考えられます。

①動詞由来の前置詞 de

dont on parle souvent の関係代名詞 dont は、parler de... 「…について話す」の de と réalisateur を受けています。parler de 同様、avoir besoin de, avoir peur de, s'occuper de, se servir de, se souvenir de などといった動詞とともに使われることが多くあります。

②名詞由来の前置詞 de

<u>dont</u> les films sont souvent considérés comme complexes では、もともと2つの文で言える内容を1つの文にすっきりまとめています。例えば、2つの文で書くとなると、"Jean-Luc Godard est un réalisateur que j'aime bien (...) les films de ce réalisateur sont souvent considérées comme complexes" となり、繰り返しが生じてしまいます。フランス語では言葉の反

復をなるべく避けるのがよいとされているため、ここでは関係代名詞 dont を使って所有の意味を表すことになります（ここでは、「その監督の映画」）。

③形容詞由来の前置詞 de

関係代名詞 dont は、前置詞 de を伴う形容詞がある場合にも使います。

例：C'est un film <u>dont</u> je suis fier.　誇りに思っている映画です。

　　fier de... で「…を誇りに思う」という意味。

ポイント3　ce qui, ce que, ce dont の使い方

「…なもの」「…なこと」と言いたい場合、指示代名詞 ce を関係代名詞の先行詞にして、**ce qui..., ce que..., ce dont...** といった表現を使います。

例えば、文章中の <u>ce qui</u> peut décourager certaines personnes では、ce qui はその前の文（Il y a en effet beaucoup de scènes qui sont difficiles à comprendre）全体を指して、「そのこと」という風にまとめています。

練習問題1　関係代名詞を選んで、文を作りましょう (qui, que, dont)。

1）Dijon est une ville _____ je connais bien.

　　　　　　　　　　　　　　　　ディジョンはよく知っている町だ。

2）Voici le livre _____ je t'ai parlé.　前に話した本だよ。

3）J'adore la façon _____ il écrit.　彼の文章の書き方が大好きだ。

4）Il y a quelqu'un _____ sonne.　誰かがドアベルを鳴らしている。

練習問題2　適切な表現を選んで、文を完成させましょう (ce qui, ce que, ce dont)。

1）_____ tu as fait n'est pas moral.

　　　　　　　　　　　　　　君がしたことは倫理的に間違っている。

2）Dites-moi _____ vous avez besoin.

　　　　　　　　　　　　　　必要としているものを教えてください。

3）J'aime tout _____ est épicé.　あらゆる辛いものが好きだ。

4）Vous avez compris _____ j'ai dit ?

　　　　　　　　　　　　　　私が言ったことを理解できましたか？

（答えは 189 ページ）

721	☐☐☐	肝臓ガン	le cancer du <u>foie</u>
722	☐☐☐	国内市場	le marché <u>domestique</u>
723	☐☐☐	動かないでいる	rester <u>immobile</u>
724	☐☐☐	技師免状を 手に入れる	obtenir un <u>diplôme</u> d'ingénieur
725	☐☐☐	その犯罪の動機	le <u>mobile</u> du crime
726	☐☐☐	化学の授業	un cours de <u>chimie</u>
727	☐☐☐	書類を印刷する	<u>imprimer</u> un document
728	☐☐☐	ビデオゲーム 愛好家たち	des <u>amateurs</u> de jeux vidéo
729	☐☐☐	自転車で来る	venir <u>à</u> <u>bicyclette</u>
730	☐☐☐	地下鉄に乗り換える	<u>faire</u> la <u>correspondance</u> avec le métro
731	☐☐☐	典型的な例	un exemple <u>typique</u>
732	☐☐☐	とてもおいしい料理	un plat <u>délicieux</u>

un **foie** /fwa/	男 肝臓 ★ foie gras　フォアグラ
domestique /dɔmɛstik/	形 ❶家の、飼いならされた　❷国内の 名 《古》使用人
immobile /imɔbil/	形 動かない ⇔ mobile 形 動く、可動性の
un **diplôme** /diploːm/	男 免状、（卒業）証書、資格 ⇒ diplômé(e) 形 資格を持っている 　　　　　　名 有資格者
un **mobile** /mɔbil/	男 ❶（犯罪などの）動機　❷携帯電話 形 ❶動く、可動性の　❷機敏な ⇒ mobiliser 動 動員する
la **chimie** /ʃimi/	女 化学 ⇒ chimique 形 化学の
imprimer /ɛ̃prime/	動 ❶印刷する　❷出版する ⇒ imprimante 女 プリンター ⇒ imprimerie 女 印刷所
amateur(trice) /amatœːr, -tris/	名 愛好家、アマチュア、素人 形 愛好家の、アマチュアの
une **bicyclette** /bisiklɛt/	女 自転車 ≒ vélo 男
une **correspondance** /kɔrɛspɔ̃dãːs/	女 ❶乗り換え、連絡　❷一致、対応 ❸文通、通信 ⇒ correspondre 動 対応する
typique /tipik/	形 典型的な、代表的な、 《de, の》特徴を示す ⇒ typiquement 副 典型的に
délicieux(se) /delisjø, -øːz/	形 ❶とてもおいしい ❷とても心地のよい

733	☐☐☐ 初めから	depuis le <u>commencement</u>
734	☐☐☐ ビニール袋	un sac <u>en</u> <u>plastique</u>
735	☐☐☐ サッカー選手	un <u>joueur</u> de foot
736	☐☐☐ お会いできて嬉しいです	Je suis <u>ravi</u> de vous rencontrer.
737	☐☐☐ 失業者数	le nombre de <u>chômeurs</u>
738	☐☐☐ 自宅で働く	travailler <u>à</u> <u>domicile</u>
739	☐☐☐ フルートの授業を取る	prendre des cours de <u>flûte</u>
740	☐☐☐ この車の特徴	les <u>caractéristiques</u> de cette voiture
741	☐☐☐ ティッシュを1枚くれる？	Tu me donnes un <u>mouchoir</u> ?
742	☐☐☐ はさみ1丁	une paire de <u>ciseaux</u>
743	☐☐☐ 画像を拡大する	<u>agrandir</u> l'image
744	☐☐☐ レジャー活動	des activités de <u>loisirs</u>

le **commencement** /kɔmãsmã/	男 初め、始まり ⇒ commencer 動 始まる、始める
le **plastique** /plastik/	男 プラスチック、ビニール 形 ❶プラスチックの、可塑性の ❷造形の、形成の
joueur(se) /ʒwœːr, -øːz/	名 ❶選手、競技者、演奏者　❷遊び人 ⇒ jouer 動
ravi(e) /ravi/	形 非常にうれしい ⇒ ravir 動 うっとりさせる、魅了する ⇒ ravissement 男 うっとりすること、恍惚
chômeur(se) /ʃomœːr, -øːz/	名 失業者 形 失業した ⇒ chômage 男 失業
un **domicile** /dɔmisil/	男 住居、自宅、住所 ⇒ S.D.F. 名 ホームレス (=sans domicile fixe)
une **flûte** /flyt/	女 フルート
une **caractéristique** /karakteristik/	女 特徴、特色 形 特有の ⇒ caractériser 動 特徴づける
un **mouchoir** /muʃwaːr/	男 ハンカチ、ティッシュ ≒ kleenex 男《商標》ティッシュ ⇒ se moucher 代動 はなをかむ
des **ciseaux** /sizo/	男 複 はさみ
agrandir /agrãdiːr/	動 大きくする、拡大する ⇔ réduire 動 縮小する、減らす ⇒ agrandissement 男 拡大
un **loisir** /lwaziːr/	男 ❶暇、自由な時間 ❷《複》レジャー、趣味 ★ avoir le loisir de 不定詞 …する時間がある

745	☐☐☐ バーゲンで服を買う	acheter un vêtement <u>en</u> <u>solde</u>
746	☐☐☐ 国際ブックフェア	une <u>foire</u> internationale du livre
747	☐☐☐ 賢明な決定	une <u>sage</u> décision
748	☐☐☐ 脂肪分	les matières <u>grasses</u>
749	☐☐☐ 1平方メートル	un mètre <u>carré</u>
750	☐☐☐ 1番近い薬局に行く	aller à la <u>pharmacie</u> la plus proche
751	☐☐☐ 食料品をストックする	faire des <u>provisions</u> de nourriture
752	☐☐☐ 税抜き価格	le prix hors <u>taxe</u>
753	☐☐☐ 床を掃除する	nettoyer le <u>plancher</u>
754	☐☐☐ レンタカー	une voiture de <u>location</u>
755	☐☐☐ 成績表	un <u>bulletin</u> de notes
756	☐☐☐ 楽観的で居続ける	rester <u>optimiste</u>

	男 ❶バーゲン、セール、《複》特売品
un **solde** /sɔld/	❷（口座の）貸借の差引残高
	❸未払い金、残金

	女 ❶市、定期市 ❷見本市
une **foire** /fwa:r/	❸縁日

	形 ❶賢明な、貞淑な ❷聞き分けのいい
sage /sa:ʒ/	❸節度のある
	男 賢者
	⇒ sagesse 女 賢明さ、英知

	形 ❶脂肪の多い、脂で汚れた ❷太った
gras(se) /grɑ, -ɑ:s/	★faire la grasse matinée （わざと）朝寝坊する

	形 ❶正方形の、四角い ❷平方の
carré(e) /kare/	❸率直な
	男 正方形、四角形のもの

	女 ❶薬局 ❷薬学 ❸薬棚
une **pharmacie** /farmasi/	⇒ pharmacien(ne) 名 薬剤師

	女 ❶蓄え、備蓄
une **provision** /prɔvizjɔ̃/	❷《複》買い物 ❸預金

	女 ❶税 ❷（公共サービスの）料金
une **taxe** /taks/	⇒ TVA 女《略》付加価値税 (=taxe sur la valeur ajoutée)

	男 ❶床 ❷最低基準
un **plancher** /plɑ̃ʃe/	★ au prix plancher 最低価格で

	女 ❶賃貸借、リース ❷レンタル料
une **location** /lɔkasjɔ̃/	❸（座席の）予約、前売り券売り場
	⇒ locataire 名 借家人

	男 ❶報告書、証明書 ❷ニュース
un **bulletin** /byltɛ̃/	❸成績表 ❹投票用紙

	形 楽観的な
optimiste /ɔptimist/	名 楽天家
	⇒ optimisme 男 楽観主義

757	☐☐☐	双子の兄弟	des frères <u>jumeaux</u>
758	☐☐☐	綿の生地	un tissu de <u>coton</u>
759	☐☐☐	その確率は2％だ	Le <u>pourcentage</u> est de deux pour cent.
760	☐☐☐	手紙を封筒に入れる	mettre une lettre dans une <u>enveloppe</u>
761	☐☐☐	財産分与	le <u>partage</u> des biens
762	☐☐☐	養豚農家	un éleveur de <u>cochons</u>
763	☐☐☐	情報科学の進歩	les progrès de l'<u>informatique</u>
764	☐☐☐	歯を磨く	<u>se</u> <u>brosser</u> les dents
765	☐☐☐	リンクをコピーする	<u>copier</u> le lien
766	☐☐☐	そのことで彼を非難しないでくれ	Ne le <u>blâme</u> pas pour cela.
767	☐☐☐	テレビで天気予報を見る	regarder la <u>météo</u> à la télé
768	☐☐☐	ショーウインドーの前で立ち止まる	s'arrêter devant les <u>vitrines</u>

	jumeau, jumelle /ʒymo, -ɛl/	形 双子の、対になった 名 双生児 (男 複 jumeaux)
un	**coton** /kɔtɔ̃/	男 綿、木綿、脱脂綿 ⇒ soie 女 絹 ⇒ laine 女 ウール
un	**pourcentage** /pursɑ̃ta:ʒ/	男 パーセンテージ、百分率 ⇒ pour cent パーセント
une	**enveloppe** /ɑ̃v(ə)lɔp/	女 封筒、カバー ⇒ envelopper 動 包む
le	**partage** /parta:ʒ/	男 分割、分配 ⇒ partager 動 分ける、分け合う
un	**cochon** /kɔʃɔ̃/	男 豚 ⇒ porc 男 豚肉 ★ cochon d'Inde モルモット
l'	**informatique** /ɛ̃fɔrmatik/	女 情報科学、情報処理 形 情報科学の、コンピューターの
	brosser /brɔse/	代動 〈se brosser〉ブラシをかける、磨く 動 ブラシをかける、磨く ⇒ brosse 女 ブラシ
	copier /kɔpje/	動 ❶コピーする、書き写す ❷カンニングする ⇒ copier-coller 男 動 コピペ（する）
	blâmer /blame/	動 非難する、とがめる ⇒ blâme 男 非難、叱責
la	**météo** /meteo/	女 天気予報 形 気象の、天候の
une	**vitrine** /vitrin/	女 ショーウインドー、 （陳列用の）ガラスケース ★ faire du lèche-vitrine 《話》ウィンドー ショッピングをする ⇒ vitre 女 （窓などの）ガラス

769	答案を回収する	ramasser les <u>copies</u>
770	坂道を登る	monter la <u>pente</u>
771	子供に新学年の準備をさせる	préparer son enfant à la <u>rentrée scolaire</u>
772	マウスで右クリックする	faire un clic droit avec la <u>souris</u>
773	平均を下回る	être inférieur à la <u>moyenne</u>
774	情報処理技術者	un <u>technicien</u> informatique
775	気前のいいところを見せる	se montrer <u>généreux</u>
776	インフルエンザワクチン	le vaccin contre la <u>grippe</u>
777	（定年）退職した小学校教諭です	C'est un <u>instituteur</u> à la retraite.
778	買ったものを税関で申告する	déclarer ses achats à la <u>douane</u>
779	ジャガイモを蒸す	<u>cuire</u> les pommes de terre à la <u>vapeur</u>
780	甘すぎる	C'est trop <u>sucré</u>.

une **copie** /kɔpi/	女 ❶写し、コピー、複製　❷答案、原稿 ⇒ copier 動 コピーする
une **pente** /pɑ̃:t/	女 ❶坂道、斜面　❷（人の）傾向、性向 ★ en pente 傾斜している
la **rentrée** /rɑ̃tre/	女 ❶（夏休み明けの）新学期、新学年 ❷再開
une **souris** /suri/	女 ❶ハツカネズミ　❷《情報》マウス ⇒ chauve-souris 女 コウモリ
la **moyenne** /mwajɛn/	女 平均、中間 ⇒ moyen(ne) 形 平均的な
technicien(ne) /tɛknisjɛ̃, -ɛn/	名 技術者、専門家 ＊ ingénieur(e)「技師」より下位の職種
généreux(se) /ʒenerø, -ø:z/	形 気前のいい、寛大な ⇒ généreusement 副 気前よく ⇒ générosité 女 気前のよさ、寛大
la **grippe** /grip/	女 インフルエンザ、流行性感冒 ⇒ rhume 男 風邪
instituteur(trice) /ɛ̃stitytœ:r, -tris/	名 （小学校の）先生、教諭
la **douane** /dwan/	女 税関 ★ droits de douane 男 複 関税 ⇒ douanier(ère) 形 税関の、関税の 名 税関職員
la **vapeur** /vapœ:r/	女 蒸気、もや ⇒ vaporiser 動 噴霧する
sucré(e) /sykre/	形 甘い、砂糖入りの 男 甘味、甘いもの ⇒ salé(e) 形 塩味のついた

173

Le diplôme

A : Bonjour, j'aimerais savoir comment on fait pour recevoir son diplôme à domicile.

B : Pour ça, vous devez faire une demande par correspondance. Il faut d'abord télécharger* le formulaire de demande sur le site. Vous l'imprimez, vous le remplissez et vous l'envoyez avec toutes les pièces nécessaires : une copie de votre carte d'identité ou de votre passeport, une enveloppe format A4 à vos nom et adresse**, etc. Tout est écrit sur le site !

補足 　 ＊ télécharger 動 ダウンロードする、アップロードする
　　　　 ＊＊ à vos nom et adresse：「名前と住所付きの」というときに使う、決まった言い回し

仏検

3級

準2級

卒業証書

A：すみません。証書を自宅で受け取るためにはどうしたらいいのか、伺いたいのですが。

B：その場合は、郵便で申請することになりますね。まずサイトから申請用紙をダウンロードしなければなりません。それを印刷し、記入してください。そして、身分証もしくはパスポートの写し、お名前とご住所を書いた A4 サイズの封筒など、必要な書類をそろえて、一緒に送ってください。すべてサイトに書いてありますので！

Le Burger gascon

Bonjour à tous, aujourd'hui, je suis dans le Gers et je vais vous présenter une recette typique du Sud-Ouest de la France : le Burger gascon. C'est une recette « 100% canard » : à l'intérieur des petits pains, vous avez un steak de magret*, ainsi qu'une généreuse tranche de foie gras. Un chutney** de figues*** donne à l'ensemble un goût sucré-salé. Le tout est accompagné de délicieuses frites maison !

補足　* magret 男 マグレ《カモやガチョウの胸肉》
　　　** chutney 男 チャツネ《主にインド料理で使われるソース》
　　　*** figue 女 イチジク

ガスコーニュ風バーガー

　皆さん、こんにちは。今日、私はジェルス県に来ており、フランス南西部の代表的な料理を紹介します。ガスコーニュ風バーガーです。カモ100%のレシピで、バンズの間には、胸肉のステーキとフォアグラの贅沢な一切れが入っています。イチジクのチャツネが、甘くてしょっぱい味を全体に加えています。最後に、自家製の美味しいフライドポテトが添えられています。

781	☐☐☐ スポーツイベント	un événement <u>sportif</u>
782	☐☐☐ 手短にお話しします	Je vais vous raconter ça <u>brièvement</u>.
783	☐☐☐ 面白おかしい映画	un film <u>comique</u>
784	☐☐☐ 彼はとても おしゃべりだ	Il est très <u>bavard</u>.
785	☐☐☐ サヤインゲン	les <u>haricots</u> <u>verts</u>
786	☐☐☐ 看護師を呼ぶ	appeler une <u>infirmière</u>
787	☐☐☐ 酸っぱい味	un goût <u>acide</u>
788	☐☐☐ その病の治療法を 見つける	trouver un <u>remède</u> contre la maladie
789	☐☐☐ いつでも来てください	Vous serez toujours le <u>bienvenu</u>.
790	☐☐☐ 週に１回の番組	une émission <u>hebdomadaire</u>
791	☐☐☐ 不審な行動	un comportement <u>étrange</u>
792	☐☐☐ 男女混成チーム	une équipe <u>mixte</u>

sportif(ve) /spɔrtif, -iːv/	形 スポーツの、スポーツ好きな 名 スポーツマン、スポーツウーマン
brièvement /brijɛvmɑ̃/	副 手短に、簡単に ⇒ bref(ève) 形 (時間が) 短い
comique /kɔmik/	形 喜劇の、滑稽な 男 喜劇 ⇒ comiquement 副 喜劇的に、滑稽に
bavard(e) /bavaːr, -ard/	形 おしゃべりな、口の軽い ⇒ bavardage 男 無駄話、おしゃべり ⇒ bavarder 動 おしゃべりする
un †**haricot** /ariko/	男 インゲン豆
infirmier(ère) /ɛ̃firmje, -ɛːr/	名 看護師 ⇒ infirmerie 女 医務室、保健室
acide /asid/	形 ❶酸っぱい ❷辛辣な ❸酸性の 男 酸 ⇒ acidité 女 酸味、酸っぱさ
un **remède** /r(ə)mɛd/	男 ❶薬、治療法 ❷救済策 ≒ médicament 男 薬、薬剤
bienvenu(e) /bjɛ̃vny/	名 歓迎される人 形 歓迎される、よいときに来た
hebdomadaire /ɛbdɔmadɛːr/	形 週に1度の、毎週の 男 週刊誌 ⇒ mensuel(le) 形 月に1度の；男 月刊誌
étrange /etrɑ̃ːʒ/	形 奇妙な、不思議な ⇒ étrangement 副 奇妙にも
mixte /mikst/	形 混合の、混成の、男女共学の

177

793	☐☐☐	その土地の名物料理	une <u>spécialité</u> locale
794	☐☐☐	エネルギッシュな曲	une musique <u>énergique</u>
795	☐☐☐	すばらしい経験	une expérience <u>formidable</u>
796	☐☐☐	恐ろしい話	une histoire <u>affreuse</u>
797	☐☐☐	17歳の高校生	un <u>lycéen</u> de dix-sept ans
798	☐☐☐	声を大きくする	<u>hausser</u> la voix
799	☐☐☐	よく冷えたロゼ	un <u>rosé</u> bien frais
800	☐☐☐	骨折する	se fracturer un <u>os</u>
801	☐☐☐	窓口で列に並ぶ	faire la queue au <u>guichet</u>
802	☐☐☐	聞く耳を持たない	faire la <u>sourde</u> <u>oreille</u>
803	☐☐☐	彼らにとっては 気の毒だが仕方がない	<u>Tant</u> <u>pis</u> pour eux.
804	☐☐☐	消防を呼ぶ	appeler les <u>pompiers</u>

une **spécialité** /spesjalite/	女 ❶専門、専攻　❷特産品、名物料理 ⇒ spécial(e) 形 特別の、専門的な
énergique /enɛrʒik/	形 ❶精力的な、活発な　❷強力な ⇒ énergie 女 エネルギー
formidable /fɔrmidabl/	形 すばらしい、ものすごい
affreux(se) /afrø, -øːz/	形 恐ろしい、ひどい ⇒ affreusement 副 恐ろしく
lycéen(ne) /liseɛ̃, -ɛn/	名 リセの生徒、高校生 ⇒ écolier(ère) 名 小学生 ⇒ collégien(ne) 名 コレージュの生徒、中学生
†**hausser** /ose/	動 ❶高くする、上げる　❷強める ★ hausser les épaules　肩をすくめる
un **rosé** /roze/	男 ロゼワイン 形 〈rosé(e)〉バラ色の、薄赤色の
un **os** /ɔs/	男 骨 ＊複数形は os /o/ ⇒ arête 女 魚の骨
un **guichet** /giʃɛ/	男 (役所・切符売り場の) 窓口
sourd(e) /suːr, -urd/	形 ❶耳が聞こえない、耳が遠い 　❷ (痛みなどが) 鈍い 名 耳の不自由な人 ⇒ muet(te) 形 名 口のきけない (人)、無言の
pis /pi/	副 《文》より悪く ★ tant pis　仕方がない、残念だ
pompier(ère) /pɔ̃pje, -ɛːr/	名 消防士 ⇒ pompe 女 ポンプ

805	☐ ☐ ☐ 1 階にある	être situé au <u>rez</u>-<u>de</u>-<u>chaussée</u>
806	☐ ☐ ☐ 私のお気に入りの チーム	mon équipe <u>favorite</u>
807	☐ ☐ ☐ 小学校	l'école <u>primaire</u>
808	☐ ☐ ☐ がんから回復する	guérir d'un <u>cancer</u>
809	☐ ☐ ☐ フランス人の 若手女優	une jeune <u>comédienne</u> française
810	☐ ☐ ☐ 敬具	Veuillez <u>agréer</u> mes salutations distinguées.
811	☐ ☐ ☐ 十字路で左に曲がる	tourner à gauche au <u>carrefour</u>
812	☐ ☐ ☐ 礼儀正しくて優しい	être <u>poli</u> et gentil
813	☐ ☐ ☐ 自動車産業	l'industrie <u>automobile</u>
814	☐ ☐ ☐ 急な坂	une pente <u>raide</u>
815	☐ ☐ ☐ 本の抜粋を読む	lire des <u>extraits</u> d'un livre
816	☐ ☐ ☐ 時間給	le salaire <u>horaire</u>

un **rez-de-chaussée** /redʃose/	男《不変》1 階、地上階 ＊ premier étage は日本の2階に相当する
favori(te) /favɔri, -it/	形 お気に入りの ⇒ favoriser 動 優遇する、促進する ⇒ faveur 女 優遇、人気
primaire /primɛ:r/	形 第一次の、最初の ⇒ secondaire 形 二次的な、第二次の
un **cancer** /kɑ̃sɛ:r/	男 ❶がん ❷〈le Cancer〉かに座 ⇒ cancérigène 形 発がん性の
comédien(ne) /kɔmedjɛ̃, -ɛn/	名 役者、俳優 ⇒ comédie 女 喜劇、芝居
agréer /agree/	動 受け入れる、承認する
un **carrefour** /karfu:r/	男 十字路、交差点、岐路 ⇒ rond-point 男（道路が放射状に集まる）円形 交差点
poli(e) /pɔli/	形 ❶礼儀正しい ❷磨かれた、光沢のある ⇔ impoli(e) 形 失礼な ⇔ malpoli(e) 形《話》失礼な
automobile /ɔtɔmɔbil/	形 自動車の 女 自動車、自動車産業
raide /rɛd/	形 ❶固い、こわばった ❷（坂が）急な ★ avoir la nuque raide 首が凝る ⇒ raideur 女 硬直
un **extrait** /ɛkstrɛ/	男 ❶抜粋、抄本 ❷エキス ⇒ extraire 動 引き抜く、抽出する
horaire /ɔrɛ:r/	形 時間あたりの、時間の ★ décalage horaire 男 時差

817	☐☐☐ すばらしい眺め	une vue <u>magnifique</u>
818	☐☐☐ 神経の疲れ	la fatigue <u>nerveuse</u>
819	☐☐☐ 麺をゆでる	faire cuire des <u>pâtes</u>
820	☐☐☐ 洪水によって生じた損害	les dommages causés par l'<u>inondation</u>
821	☐☐☐ 口頭試験	une épreuve <u>orale</u>
822	☐☐☐ 教会の鐘	les <u>cloches</u> de l'église
823	☐☐☐ 研究所での試験	des essais en <u>laboratoire</u>
824	☐☐☐ 第4四半期	le quatrième <u>trimestre</u>
825	☐☐☐ 指示を出す	donner des <u>consignes</u>
826	☐☐☐ 月給	le revenu <u>mensuel</u>
827	☐☐☐ 大気汚染	la <u>pollution</u> de l'air
828	☐☐☐ アジア食料品店	une <u>épicerie</u> asiatique

	magnifique /maɲifik/	形 すばらしい、見事な
	nerveux(se) /nɛrvø, -øːz/	形 ❶神経の　❷神経質な　❸筋肉質の ❹活力のある ⇒ nerf 男 神経、腱、活力
une	**pâte** /pɑːt/	女 ❶《複》パスタ、麺類 ❷生地、ペースト状のもの
une	**inondation** /inɔ̃dasjɔ̃/	女 洪水、氾濫、浸水 ⇒ inonder 動 洪水を起こす
	oral(e) /ɔral/	形 口頭の、口の 男 口述試験、口頭試問 (《複》 oraux)
une	**cloche** /klɔʃ/	女 鐘 ⇒ clochette 女 鈴
un	**laboratoire** /labɔratwaːr/	男 ❶研究所、実験室　❷（写真の）現像所 →《略》labo 男
un	**trimestre** /trimɛstr/	男 ❶四半期、3か月　❷（フランスの）学期 ⇒ trimestriel(le) 形 3か月ごとの ⇒ semestre 男 半期、半年
une	**consigne** /kɔ̃siɲ/	女 ❶指示、命令　❷手荷物一時預かり所 ★ consigne automatique　コインロッカー
	mensuel(le) /mɑ̃sɥɛl/	形 月に1度の、毎月の ⇒ hebdomadaire 形 週に1度の ⇒ annuel(le) 形 年に1度の
la	**pollution** /pɔlysjɔ̃/	女 汚染 ⇒ polluer 動 汚染する
une	**épicerie** /episri/	女 食料品販売店、食料品 ⇒ épicier(ère) 名 食料品店主 ⇒ épice 女 香辛料、スパイス

829	その地区の商人	les <u>commerçants</u> du quartier
830	速達便で送る	envoyer un courrier <u>express</u>
831	電車の運転手	un <u>conducteur</u> de train
832	それには驚かされた	Ça m'<u>a surpris</u>.
833	国によって 異なった仕方で	de façon <u>variable</u> selon les pays
834	使いやすさ	le <u>confort</u> d'utilisation
835	私は悲観的ではない	Je ne suis pas <u>pessimiste</u>.
836	シャイな青年	un <u>adolescent</u> timide
837	ソースの味をみる	<u>goûter</u> la sauce
838	地下水	les eaux <u>souterraines</u>
839	わざとやった わけではない	Je n'ai pas fait <u>exprès</u>.
840	毛布にくるまる	s'<u>envelopper</u> dans une couverture

commerçant(e) /kɔmɛrsɑ̃, -ɑ̃:t/	名 商人、小売り商人 ⇒ commerce 男 商業、商店 ⇒ commercial(e) 形 商業上の
express /ɛksprɛs/	形 高速の 男 ❶エスプレッソコーヒー (=café express) 　❷急行電車 ≒ expresso 男 (＜伊語) エスプレッソコーヒー
conducteur(trice) /kɔ̃dyktœːr, -tris/	名 運転手 ⇒ conduire 動 運転する
surprendre /syrprɑ̃:dr/	動 ❶驚かせる、意表を突く 　❷突然襲う、現場を捕える ≒ étonner 動 驚かせる ⇒ surprise 女 驚き
variable /varjabl/	形 変わりやすい、不安定な、 　変えることができる 女 《数》変数
le **confort** /kɔ̃fɔːr/	男 ❶快適さ　❷設備 ⇒ confortable 形 快適な、設備の整った
pessimiste /pesimist/	形 悲観的な 名 悲観的な人 ⇔ optimiste 形 名 楽観的な (人)
adolescent(e) /adɔlesɑ̃, -ɑ̃:t/	名 (10代の) 若者 → 《略》ado 名 ⇒ adolescence 女 思春期
goûter /gute/	動 ❶味をみる、味わう、楽しむ 　❷おやつを食べる 男 おやつ
souterrain(e) /sutɛrɛ̃, -ɛn/	形 地下の、内密の 男 地下道
exprès /ɛksprɛ/	副 わざと、わざわざ
envelopper /ɑ̃v(ə)lɔpe/	動 包む、くるむ 代動 〈s'envelopper〉くるまる ⇒ enveloppe 女 封筒、カバー

Un gâteau en forme de poisson

A : Oh, ces poissons sont magnifiques ! C'est une spécialité japonaise ?

B : Oui, ce sont des *taiyaki*, des gâteaux avec des haricots rouges sucrés à l'intérieur. La pâte est comme celle* des gaufres.

A : C'est étrange d'avoir choisi la forme d'un poisson pour quelque chose de sucré... Je peux goûter ?

B : Bien sûr ! Je viens de les faire et c'est meilleur quand c'est chaud !

補足 * celle : 単数の女性名詞を受ける指示代名詞で、ここでは la pâte を指す。男性単数形は celui

魚の形をしたお菓子

A : すごいな、この魚！ 日本の名物なの？

B : そう、「たい焼き」だよ。甘く味付けした小豆が中に入ったお菓子で、生地はワッフルみたいなんだ。

A : 甘いものに魚の形を選んだのは、不思議だね。食べてみてもいい？

B : もちろん！ 作ったばかりで、熱いうちに食べる方がおいしいよ。

Partie 14

« Rajeunir » les cellules

Le docteur Yamanaka et son équipe ont fait une découverte formidable qui a surpris le monde entier : les cellules* dites « iPS »**. Les scientifiques les ont créées dans leur laboratoire, à partir de cellules humaines qu'ils ont « reprogrammées ». Ces cellules peuvent alors se spécialiser et former des muscles, de la peau, des os, etc. Cette avancée*** scientifique permettra peut-être de trouver des remèdes à différentes maladies, comme les cancers.

補足 　＊ cellule 女 細胞
　　　＊＊ iPS：人工多能性幹細胞（les cellules souches pluripotentes induites）。
　　　iPS の略称は英語の induced pluripotent stem cells に由来する
　　　＊＊＊ avancée 女 前進

細胞の「若返り」

　山中教授とそのチームは、世界を驚かせるような素晴らしい発見をした。それは、いわゆる「iPS 細胞」である。この科学者たちは研究所内で人から採取した細胞を「リプログラミング（初期化）」して、iPS 細胞を作り出したのだ。そして、その細胞は特化した機能を持つようになり、筋肉や皮膚、骨などを形成することができる。この科学的進歩のおかげで、ガンなどといった様々な病気の治療法を見つけることができるようになるかもしれない。

条件法の特殊な用法

Ce matin, à Tokyo, le président français a rencontré le premier ministre japonais. Selon une source proche de l'Elysée, ils <u>auraient discuté</u> d'un nouvel accord commercial qui <u>pourrait</u> diminuer progressivement les barrières douanières.

今朝、東京でフランスの大統領が日本の首相と会談しました。エリゼ宮に近い情報源によると、関税を少しずつ引き下げることが可能になる新たな貿易合意について話し合われたとされています。

ポイント1 新聞記事などでは、確信のない情報に条件法が使われる

上の文章にある ils <u>auraient discuté</u> は、いわゆる conditionnel journalistique「ジャーナリスティックな条件法」と呼ばれるもので、情報の真偽が定かではない段階である事柄について言及するときに使用されます。ただし、日常会話や普段の作文では違和感があるため、他の表現でその不確かさを表すことになります。

> 例：ils ont apparemment discuté... / il paraît qu'ils ont discuté... /
> il est possible qu'ils aient discuté...

ポイント2 可能性を強調するために、条件法現在が単独で使われることもある

qui <u>pourrait</u> は、未来における可能性について言及しているため、条件法現在になっています。ここでは「貿易合意が交わされたら…」という仮定が文脈で想像できます。とくに pouvoir 動詞で使われる傾向があります。ちなみに、ここでの条件法は、時制の一致の結果生じたもの、という解釈も可能です。

練習問題 動詞を条件法の現在形か過去形にして、文を完成させましょう。

1) Le chien (pouvoir) s'échapper.　犬が逃げ出す可能性がある。
2) Un Français sur deux (être) contre.

   フランス人の半数は反対しているとか。
3) Il (avoir) des ennuis avec la police.

   彼は過去に警察沙汰を起こしたとされている。
4) Ils (pouvoir) peut-être m'aider.

   もしかしたら彼らは手伝ってくれるかもしれない。

（答えは 189 ページ）

練習問題の答え

p.34 単純未来と近接未来

1) Je ferai de mon mieux.　2) Tu n'auras pas le temps de manger.
3) Vous serez combien ?　4) Demain, il y aura du monde !

p.35 人称代名詞の間接目的語と強勢形

1) lui　　　2) leur　　　3) eux　　　4) lui

p.73 中性代名詞：en, le, y

1) le　2) y　3) en　4) y　5) en　6) le

p.98 前置詞

1) en　　2) de　　3) pour　　4) en
5) à　　6) sans　　7) par　　8) de

p.124 複合過去と半過去

1) suis sorti(e) / faisait　2) n'étiez pas
3) avais　4) parlait / écoutait

p.125 不定形容詞：certain(e)s, plusieurs, quelques

1) quelques　2) plusieurs　3) quelques　4) Certaines
5) plusieurs　6) Certains　7) quelques　8) Certains

p.163 関係代名詞：qui, que, dont

1　1) que　　2) dont　　3) dont　　4) qui
2　1) Ce que　2) ce dont　3) ce qui　4) ce que

p.188 条件法の特殊な用法

1) pourrait　　2) serait
3) aurait eu　　4) pourraient

索引

見出し語は**太字**で示してあります。有音の h には † をつけて区別しました。

203

著者紹介

ヴェスィエール ジョルジュ（VEYSSIÈRE Georges）

1987年東京生まれ。獨協大学外国語学部フランス語学科専任講師。
NHKラジオ講座『まいにちフランス語』出演（2018年4月〜9月）。
パリ第4大学でフランス中世文学（抒情詩）、パリ第3大学でフ
ランス語教授法の分野で修士号取得。編著書に『仏検準1級・2
級対応 クラウン フランス語単語 上級』『仏検4級・5級対応 ク
ラウン フランス語単語 入門』（三省堂）がある。

仏検準2級・3級対応
クラウン フランス語単語 中級

2021年4月10日　第1刷発行
2024年4月10日　第3刷発行

著　者　　ヴェスィエール ジョルジュ

発行者　　株式会社三省堂　代表者 瀧本多加志

印刷者　　三省堂印刷株式会社

発行所　　株式会社三省堂
　　　　　〒102-8371 東京都千代田区麹町五丁目7番地2
　　　　　　　　　　電話　（03）3230-9411
　　　　　　　　　　https://www.sanseido.co.jp/
　　　　　　　　　　商標登録番号　663092

〈フランス語単語中級・208pp.〉
落丁本・乱丁本はお取り替えいたします。

ISBN978-4-385-36568-8